AULA

4

AULA 4

Autores: Jaime Corpas, Agustín Garmendia, Carmen Soriano
Coordinación pedagógica: Neus Sans
Coordinación editorial: Eduard Sancho
Redacción: Eduard Sancho, Pablo Garrido
Documentación: Olga Mias

Diseño: CIFR4

Ilustraciones: Javier Andrada, págs. 44, 52, 70 (hombre invisible), 82, 84, 91, 104 / Jordi Arasa, pág. 70 (Tiger Woods) / Oriol Bohigas, pág. 80 / David Carrero, págs. 36, 43, 74, 78, 101 / Rafa Castañer, pág. 40 / Tod Fraz (Vogue Magazine), pág. 48 (Balenciaga) / Roger Zanni, págs. 8, 12, 23, 30, 53, 61, 76, 77, 98, 103

Fotografías: Josep Abril, pág. 46 (chicos) / Archivo histórico provincial de Lugo (Xunta de Galicia), pág. 99 / Martin Beckett, pág. 100 (máquina de afeitar) / Montse Belver, págs. 9, 26, 79 / Christopher Bruno, pág. 63 (balón) / Nacho Calonge, pág. 87 (señor) / Fernando Cárdenas, pág. 86 (mosaico) / Roberto Castón, pág. 18 (Islandia) / Jaime Corpas, pág. 75 (Quim) / COVER Agencia de fotografía, págs. 16, 41, 49, 66 (japonés), 72 (castells), 86 (Eva Perón), 87 (Cortázar), 88 / Custo Barcelona, pág. 48 / Adolfo Domínguez, pág. 48 / Ivana De Battisti, pág. 86 (tabaco) / Juanita De Paola, pág. 75 (Xoan) / Ulrik De Wachter, pág. 85 (Marcos) / Jimena Diaz, pág. 67 (3) / D. Erie, pág. 55 (lago) / Teresa Estrada, págs. 31, 33, 34 (habitaciones), 47 (4), 57, 62 (periódico), 66, 67 (Lourdes, Sonia), 70 (Manuel, su hermano), 94, 104 / Europa Press pág. 32 (kiosco), 64 (Del Olmo, Nierga, Gabilondo) / Leonardo Falaschini, pág. 87 (abuelo con nieto) / Adam Ciesielski, pág. 100 (alfombra) / Getty Images, pág. 88 / Generalitat Valenciana, pág. 24 / Michael Goins, pág. 38 / Abigail Guzmán, pág. 87 (ceviche) / Peter Hamza, pág. 55 (ovnis) / Jamie Harris, pág. 97 / Rick Hawkins, pág. 74 (chica) / hbarkan, pág. 87 (Canal) / Frank Kalero, págs. 15, 18 (Menorca, París), 22, 23 (camello, mar), 30, 34 (chicas), 47 (2 y 3), 51 (2), 55 (ojo, esótericos, científicos), 59, 62, 63 (boxeadores), 64 (Marta, Eduardo, Felipe, Belén), 67 (Fermín, Reme), 71, 86 (tomate, palmera), 87 (plátanos, *moai*, puro),109, 110, 112 / Ralph Kiesewetter, pág. 87 (músicos, coche) / Margus Kyttä, pág. 87 (tequila) / Matthew Maaskant, pág. 55 (círculos) / Niki Michailov, pág. 87 (café) / Xavier Miserachs, pág. 80 / Eduardo Nave, págs. 10, 15 (piano, esquí), 25, 27, 28, 32 (ciclista), 51 (1), 62 (radio y televisión), 63 (manifestación) / Miriam Ocariz, pág. 46 (chicas) / Jordi Oliver, págs. 17, 18 (Marruecos), 23 (aeropuerto), 56, 73 / Daniel Riera, pág. 42 (Casa básica) / T. Rolf, pág. 70 (una amiga) / David Romualdo, pág. 85 (Alejandro, Laura) / Dennis Saddik, pág. 87 (Iguazú) / Jordi Sangenís y Eduardo Pedroche, pág. 72 (voladores), pág. 86 (Tenochtitlan) / Sam Segar, pág. 55 (Vaticano) / Shin, pág. 55 (extraterrestre) / Paul Smith, pág. 86 (desfile) / Monika Szczygie, pág. 100 (cuchara) / Simon Stratford pág. 63 (Elvis) / Carles Torres pág. 65 / Melanie Tsoi, pág. 86 (agua) / Rurik Tullio, pág. 86 (Machu Picchu) / Thomas van den Berk, pág. 86 (La Paz) / Nara Vieira da Silva, pág. 47 (1) / Tombre W pág. 70 (un amigo) / Wazari, pág. 35 / Bruno Wood, pág. 74 (chico) / Vanessa Zanini Fernandes, pág. 75 (Marta)

Agradecimientos: Aberri Olaskoaga (Fundación Cristóbal Balenciaga), Anna Górriz (MBM Arquitectes), Corporación de Turismo de Venezuela, CYO Studios, Embajada de Venezuela en España, Ester Gallén (XXL Comunicación), Iñaki Millán (Adolfo Domínguez), Josep Abril, Martín Ruiz de Azúa, Miriam Ocariz

© Los autores y Difusión, S.L. Barcelona 2005
ISBN 10: 84-8443-257-2
ISBN 13: 978-84-8443-257-9
Depósito legal: B-8899-2005
Impreso en España por Raro

2ª reimpresión: mayo 2006

difusión
Centro de
Investigación y
Publicaciones
de Idiomas, S.L.

c/ Trafalgar, 10, entlo. 1ª
08010 Barcelona
tel. 93 268 03 00
fax 93 310 33 40
editorial@difusion.com

www.difusion.com

AULA

4

Jaime Corpas
Agustín Garmendia
Carmen Soriano

Coordinación pedagógica
Neus Sans

El proyecto **AULA** nace de la constatación de que no existe ningún material de español como lengua extranjera que responda adecuadamente a las necesidades específicas de ciertos contextos de enseñanza. Nos referimos, en concreto, a los cursos intensivos o semiintensivos en situación de inmersión.

Hasta ahora, se ha venido presuponiendo que un curso intensivo no era esencialmente distinto de uno extensivo sino, simplemente, "un curso con más horas" o con un horario más "concentrado". Así pues, se ha pretendido, por ejemplo, que los mismos materiales fueran válidos tanto para tres horas de clase semanales, impartidas a lo largo de un año escolar, como para trabajar cuatro o cinco horas diarias con alumnos que mantienen un contacto diario con la realidad española. Sin embargo, cualquier docente que conozca ambas realidades sabe que plantean necesidades muy distintas, tanto respecto a la programación de contenidos y de actividades, como a las expectativas de los alumnos.

El resultado de esta falta de materiales específicos en el ámbito de la enseñanza de E/LE en España (en centros privados, en universidades, etc.), ha sido hasta ahora el que todos conocemos: cada centro o equipo de profesores ha ido sorteando las dificultades que plantea la carencia de un buen manual con materiales propios o con material fotocopiado. Ninguna de las soluciones contenta a alumnos ni a profesores, quienes, cuando se les pregunta, declaran abiertamente que prefieren la coherencia y seguridad que un manual bien diseñado confiere a un curso.

De esta situación surge la idea de publicar **AULA**. Un equipo de autores, con amplia experiencia en cursos intensivos y semiintensivos y en el diseño de materiales didácticos, asesorados por numerosos colegas de diversos centros que les han ayudado a tener una visión de conjunto de las características y de las necesidades de los cursos de E/LE en España, han abordado la elaboración de **AULA** con el objetivo de dar respuesta a las exigencias de este sector, en particular atendiendo a los siguientes aspectos:

Desde el punto de vista de la organización del material

- En muchos casos, el calendario de inicio de los cursos permite la incorporación de nuevos alumnos cuando ya se han realizado algunas sesiones y, por otra parte, no todos los alumnos permanecen el mismo número de semanas.

- La duración de los cursos no justifica para muchos alumnos la compra de un manual que no van a poder utilizar en su totalidad.

- En la mayoría de manuales, las unidades didácticas son excesivamente largas y no permiten a los alumnos, en su breve estancia, abordar un contenido variado, tanto desde el punto de vista lingüístico, como del temático y del cultural.

- El material debe estar estructurado de tal manera que facilite la labor de coordinación de los diferentes profesores a cargo de un mismo curso.

Respecto a la programación

Como en cualquier contexto de aprendizaje, en los cursos intensivos la presentación y la ejercitación de nuevos contenidos debe adecuarse al ritmo de aprendizaje y a las expectativas de los alumnos. En concreto, en este tipo de cursos, la progresión debe estar muy medida por razones obvias: la capacidad de procesar información y de construir conocimiento lingüístico de un individuo en dos, tres o cuatro semanas es forzosamente limitada. El material debe, por tanto, articularse para guardar un cuidado equilibrio entre, por una parte, una gran variedad de propuestas y, por otra, muchas ocasiones para retomar y para afianzar el manejo de aspectos lingüísticos ya abordados en unidades o en niveles anteriores.

Respecto a las características metodológicas del material

- En los cursos intensivos, más que en cualquier otro tipo de cursos, se precisa un trabajo especialmente compensado entre la práctica de destrezas comunicativas y la reflexión gramatical. Un alumnado en situación de inmersión, que evalúa diariamente sus progresos en un entorno hispanohablante, aspira a obtener resultados tangibles e inmediatos en ambos frentes.

- Una carga horaria intensiva reclama, además, un material que tenga muy en cuenta el inevitable "estrés" que viven profesores y alumnos en este tipo de cursos: las actividades deben ser muy variadas tanto en sus contenidos como en las dinámicas de aula que propician. Las destrezas implicadas en cada actividad y los procesos cognitivos que impulsan deben estar hábilmente combinados para que cada día de trabajo resulte un todo coherente y equilibrado: debe haber momentos para lo lúdico y tiempo para la reflexión, actividades en grupos y tareas individuales, atención a aspectos formales e interacción significativa entre los miembros del grupo, tiempo para el estudio y para la práctica de la lengua, y materiales para el descubrimiento de la cultura.

Cómo es AULA

AULA se ha concebido como un material perfectamente ajustado a la estructura horaria de los cursos intensivos o semiintensivos en situación de inmersión y a las expectativas y a las necesidades de un alumnado que realiza estancias breves en España. Cada nivel cubre alrededor de 40 horas lectivas (hasta 50 con el material complementario) y se presenta en forma de un solo volumen, con 10 unidades didácticas estructuradas del siguiente modo:

1. COMPRENDER
En este primer bloque, se presentan textos y documentos muy variados, que contextualizan los contenidos lingüísticos y comunicativos básicos de la unidad, frente a los que los alumnos desarrollan fundamentalmente actividades de comprensión.

2. EXPLORAR Y REFLEXIONAR
En el segundo bloque, los alumnos realizan un trabajo de observación de la lengua a partir de nuevas muestras o de pequeños corpus. Se trata de ofrecer un nuevo soporte para la tradicional clase de gramática, con el que los alumnos, dirigidos por el material y por el profesor, descubren el funcionamiento de la lengua en sus diversos niveles (morfológico, léxico, sintáctico, funcional, discursivo…). Esto es, se trata de ofrecer herramientas alternativas para potenciar y para activar el conocimiento explícito de reglas, sin tener que caer en una clase magistral de gramática.

En el mismo apartado se presentan esquemas gramaticales y funcionales a modo de cuadros de consulta. Con ellos se ha perseguido, ante todo, la claridad, sin renunciar a una aproximación comunicativa y de uso a la gramática.

3. PRACTICAR Y COMUNICAR
El tercer bloque está dedicado a la práctica lingüística y comunicativa. Incluye propuestas de trabajo muy variadas, pero que siempre consideran la significatividad y la implicación del alumno en su uso de la lengua.

En una primera parte, el objetivo es experimentar el funcionamiento de reglas en actividades que focalizan una u otra forma lingüística en lo que podríamos llamar "microtareas comunicativas".

En la segunda parte de esta sección, se proponen una o varias tareas cuyo objetivo es ejercitar verdaderos procesos de comunicación en el seno del grupo, que implican diversas destrezas y que se concretan en un producto final escrito u oral (una escenificación, un póster, la resolución negociada a un problema, etc.).

Cabe resaltar las novedosas propuestas comunicativas, que encontramos en esta parte del manual, basadas en la experiencia del alumno en un contexto hispanohablante: sus observaciones, su percepción del entorno se convierten en material de reflexión intercultural y en un potente estímulo para la interacción comunicativa dentro del grupo-clase.

4. VIAJAR
Incluye materiales con contenido cultural (textos informativos, canciones, poesía, juegos...) que ayudan al alumno a acercarse y a comprender mejor la realidad cotidiana y cultural en la que se halla.

MÁS
Se proponen nuevas actividades de práctica formal que estimulan la reflexión y la fijación de los aspectos lingüísticos presentados en la unidad, diseñadas de modo que los alumnos las puedan realizar de forma autónoma, aunque también pueden ser utilizadas en la clase a modo de recapitulación de aspectos gramaticales y léxicos de la secuencia.

VERBOS
Se facilita en este apartado una completa tabla de verbos regulares e irregulares y un listado de todos los verbos que aparecen en el libro.

AGENDA DEL ESTUDIANTE
Al final del libro, se incluye un anexo con información sobre los países en los que se habla español.

Con **AULA** pretendemos llenar un vacío evidente con un material dúctil pero coherente, actual desde el punto de vista de las nuevas tendencias metodológicas pero al mismo tiempo fácil de usar, rico pero no complejo, que dedicamos a todos los colegas que realizan esa apasionante, y a veces no siempre suficientemente valorada tarea de enseñar la lengua en el propio país.

Neus Sans Baulenas
Coordinadora pedagógica de Aula

ÍNDICE

09

UNIDAD 1 / ¿SE TE DAN BIEN LAS LENGUAS?
En esta unidad vamos a elaborar una lista de las cosas que queremos aprender y a reflexionar sobre las mejores estrategias para conseguirlo.

Para ello vamos a aprender:
> a hablar de habilidades
> a hablar de emociones: **dar vergüenza/miedo, ponerse nervioso/a, etc.**
> a conectar frases con **aunque**
> verbos que llevan pronombres

17

UNIDAD 2 / EL TURISTA ACCIDENTAL
En esta unidad vamos a contar anécdotas reales o inventadas.

Para ello vamos a aprender:
> a narrar acontecimientos del pasado
> recursos para contar anécdotas
> recursos para mostrar interés al escuchar una anécdota
> a hablar de causas y consecuencias: **como, porque, así que...**
> el contraste entre el Pretérito Indefinido y el Pretérito Imperfecto
> el Pretérito Pluscuamperfecto de Indicativo

25

UNIDAD 3 / ¡BASTA YA!
En esta unidad vamos a redactar un manifiesto reivindicando soluciones para un problema.

Para ello vamos a aprender:
> a expresar deseos, reclamaciones y necesidad > a valorar situaciones y hechos: **me parece muy bien/mal...** que + Presente de Subjuntivo
> **querer/pedir/exigir/necesitar** + Infinitivo, **querer/pedir/exigir/ necesitar** que + Presente de Subjuntivo, **que** + Presente de Subjuntivo
> a proponer soluciones: **deberíamos/deberían/se debería/habría que**
> **cuando** + Subjuntivo > el Presente de Subjuntivo

33

UNIDAD 4 / TENEMOS QUE HABLAR
En esta unidad vamos a simular una discusión de pareja.

Para ello vamos a aprender:
> a expresar intereses y sentimientos
> a hablar de las relaciones entre las personas
> a mostrar desacuerdo en diversos registros
> a suavizar una expresión de desacuerdo
> a contraargumentar

41

UNIDAD 5 / DE DISEÑO
En esta unidad vamos a diseñar un objeto que solucione un problema de la vida cotidiana.

Para ello vamos a aprender:
> a describir las características y el funcionamiento de algo
> a opinar sobre objetos > los superlativos en **-ísimo/a/os/as**
> algunos modificadores del adjetivo: **excesivamente, demasiado...**
> las frases exclamativas: **¡qué...!, ¡qué... tan/más...!**
> las frases relativas con preposición
> usos del Indicativo y del Subjuntivo en frases relativas

49 UNIDAD 6 / MISTERIOS Y ENIGMAS

En esta unidad vamos a organizar un debate entre esotéricos y científicos.

Para ello vamos a aprender:
> a hacer hipótesis y conjeturas > a relatar sucesos misteriosos
> algunos usos del Futuro Simple y del Futuro Compuesto
> construcciones en Indicativo y en Subjuntivo para expresar
diferentes grados de seguridad
> creer/creerse

57 UNIDAD 7 / BUENAS NOTICIAS

En esta unidad vamos a convertirnos en la redacción de un medio de comunicación.

Para ello vamos a aprender:
> a redactar una noticia
> a referirnos a una noticia y a comentarla
> el uso de la voz pasiva > verbos de transmisión
de la información: manifestar, declarar...
> vocabulario relacionado con los medios de comunicación

65 UNIDAD 8 / YO NUNCA LO HARÍA

En esta unidad vamos a decidir quién es el más atrevido de la clase.

Para ello vamos a aprender:
> a dar consejos > a evocar situaciones imaginarias: si fuera/
estuviera… + Condicional > a opinar sobre acciones y conductas
> a expresar desconocimiento: no sabía que...
> a expresar deseos > la forma y algunos usos del Condicional
> el Pretérito Imperfecto de Subjuntivo de ser, estar y poder

73 UNIDAD 9 / ¿Y QUÉ TE DIJO?

En esta unidad vamos a tomar partido en un conflicto entre dos personas.

Para ello vamos a aprender:
> a transmitir órdenes, peticiones y consejos
> a referir lo que han dicho otros en el pasado
en estilo directo y en estilo indirecto
> la forma y algunos usos del
Pretérito Imperfecto de Subjuntivo

81 UNIDAD 10 / AMÉRICA

En esta unidad vamos a hacer un concurso para comprobar nuestros conocimientos
sobre Latinoamérica.

Para ello vamos a repasar:
> recursos para narrar acontecimientos del pasado
> recursos para referir lo que han dicho otros en el pasado
> los tiempos del pasado > los usos del Presente de Subjuntivo
> cómo expresar conocimiento y desconocimiento sobre un tema

89 MÁS

116 VERBOS

124 AGENDA DEL ESTUDIANTE

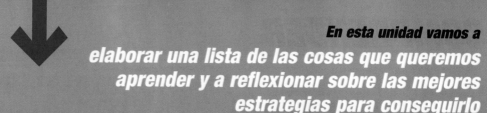

En esta unidad vamos a
elaborar una lista de las cosas que queremos aprender y a reflexionar sobre las mejores estrategias para conseguirlo

Para ello vamos a aprender:
> a hablar de habilidades
> a hablar de emociones: **dar vergüenza/miedo, ponerse nervioso/a**, etc.
> a conectar frases con **aunque**
> verbos que llevan pronombres

¿SE TE DAN BIEN LAS LENGUAS?

1. HABLA UN MONTÓN DE LENGUAS

A. Lee esta entrevista a Johanna, una profesora de alemán que habla muchas lenguas. ¿Cuáles? ¿Cómo las ha aprendido? Escríbelo en tu cuaderno.

¿CUÁNTAS LENGUAS HABLAS?

Johanna Blum ha sido profesora de alemán durante años. Actualmente vive en Barcelona y trabaja en una editorial. Johanna es una gran políglota.

Soy medio italiana y medio alemana, pero mi lengua materna es el alemán. Mi madre es alemana y mi padre, italiano, así que en mi casa se hablaban las dos lenguas: italiano cuando estábamos en Italia y alemán cuando estábamos en Alemania.

¿Vivíais en los dos países?
Bueno, mis padres se conocieron en Roma pero, cuando yo tenía 3 años, nos fuimos a vivir a Alemania. Yo viví de los 3 a los 19 años en Alemania y me eduqué en alemán, pero nunca perdí el italiano porque íbamos 4 ó 5 veces al año a Italia y allí siempre hablábamos en italiano.

¿Y a los 19 años...?
Me fui a Milán a estudiar Filología.

¿Fue fácil estudiar la carrera en italiano?
Relativamente. En aquel momento, mi italiano no era muy bueno, no era el italiano de una persona que estudia en la Universidad. Por eso tuve que estudiar bastante e incluso hice un curso de dicción para mejorar mi pronunciación.

¿Y las otras lenguas que hablas?
Bueno, estudié inglés y francés en la escuela y en la Universidad. El inglés lo empecé a estudiar a los 10 años, cinco horas por semana, como casi todos los niños en Alemania, y luego seguí en la Universidad.

¿En qué ámbitos has usado el inglés?
En primer lugar, durante la carrera. Luego usé mucho el inglés cuando trabajaba de secretaria. Y durante un año viví con mi marido en Sudáfrica y, claro, allí mi inglés mejoró mucho. Además, me encanta la literatura inglesa. Creo que he leído casi todas las obras de Shakespeare y hoy en día sigo leyendo mucho en inglés.

¿Y el francés?
Empecé a estudiarlo a los 14 años, cinco horas semanales también. Y como mi tía favorita vive en Lyon, he estado muchas veces en Francia. El francés es una lengua que me encanta: el teatro, la literatura, el cine... Aunque últimamente se me ha olvidado un poco, la verdad.

¿Y el español?
El español lo empecé a aprender cuando vine a vivir a Barcelona, hace 12 años. Mi marido es músico y lo contrataron en una orquesta de aquí, de manera que nos trasladamos a España y los dos tuvimos que aprender español. La verdad es que nunca he ido a clase. El primer año me compré un método de autoaprendizaje y estudiaba en casa.

¿Y estudiando sola en casa aprendiste a hablar tan bien?
Bueno, hacía más cosas: leía periódicos, memorizaba muchas frases ya hechas, hablaba con nuestros nuevos amigos y tenía un cuaderno donde anotaba todas las palabras nuevas que aprendía.

¿Y el catalán?
Lo entiendo, pero todavía no lo hablo muy bien. Veo la televisión sin problemas y también voy a ver obras de teatro en catalán, participo en reuniones de trabajo o con amigos en las que se habla en catalán, etc.

Con excepción del catalán, ¿hablas todas las demás lenguas igual de bien? ¿Cuál hablas mejor?
Creo que no puedes tener la misma relación con todas las lenguas que hablas, igual que no tienes la misma relación con dos personas diferentes. La lengua que hablo mejor es el alemán, que es mi lengua materna y la que siento más mía.

B. Ahora responde tú a estas preguntas.

1. ¿Qué lengua/s se habla/n en tu casa? ¿Es la lengua materna de tus padres?

2. En tu país, ¿hay una o varias lenguas oficiales? ¿Se hablan otras lenguas además de la/s oficial/es?

3. ¿Existen en tu país minorías que conservan su lengua? ¿Tienes contacto con ellas?

4. ¿Qué lengua(s) estudias tú?

5. ¿Cuántas lenguas estudia en tu país un joven hasta los 16 años? ¿Y hasta los 18?

6. ¿Cuáles son las lenguas más importantes en tu país en el ámbito profesional?

7. ¿Cuál es la lengua que te gusta más de todas las que has oído?

8. ¿En cuántas lenguas sabes decir "gracias"?

2. APRENDER A APRENDER

A. Para usar cada vez mejor una lengua, debemos desarrollar nuestra capacidad de expresión oral y escrita, nuestra capacidad de participar en conversaciones y nuestra comprensión. Pero hacerlo y tener éxito no depende solo de nuestros conocimientos de gramática y de vocabulario. Existen estrategias que nos ayudan a aprender mejor una lengua. Marca con estos iconos si las estrategias que te proponemos te parecen interesantes, si ya las usas...

✔	😊	😞
Ya lo hago y me resulta útil.	Me parece muy buena idea; lo voy a intentar.	No lo voy a hacer; no me parece útil.

Escribir

¿Se te da bien escribir? ¿Eres bueno haciendo redacciones o escribiendo otros textos? Entonces, seguramente ya usas las siguientes estrategias:

☐ Antes de empezar, piensa qué quieres decir. Haz una primera lista de ideas, palabras, etc. Luego, escribe un borrador.

☐ Fíjate en los modelos: las cartas, los correos electrónicos, los artículos de prensa, las recetas, etc. Cada texto tiene particularidades que puedes detectar y que debes tener en cuenta a la hora de escribir.

☐ Lee varias veces el resultado para ver si te gusta y reescribe las partes que no te convenzan.

☐ Comenta tus dudas con tus compañeros.

Conversar

A todo el mundo le cuesta intervenir en una conversación en una lengua extranjera. Y muchas personas lo pasan mal cuando quieren decir algo, pero no están seguros de cómo ni de cuándo hacerlo. Por eso...

☐ Si no entiendes algo, pide que te lo repitan, que hablen más despacio o que te lo expliquen de nuevo.

☐ Si no conoces una palabra, usa gestos, otra palabra parecida, intenta describirla ("Es una cosa que sirve para...") o busca ayuda ("¿Cómo se dice...?").

☐ Fíjate en cómo intervienen en las conversaciones los nativos (si se interrumpen, cómo y cuándo entran en la conversación, etc.) e intenta hacer lo mismo.

Escuchar

A muchos estudiantes les cuesta entender las audiciones en clase y se sienten frustrados si no lo entienden todo. Recuerda:

☐ Intenta encontrar las palabras clave. Te ayudarán a saber cuál es el tema.

☐ Busca pistas: el tono de la voz, el modo en el que intervienen las diferentes personas en la conversación, los elementos no lingüísticos (por ejemplo, la música en la radio o las imágenes en la televisión).

☐ Piensa que es muy normal no entenderlo todo. Intenta comprender lo esencial.

Leer

Para ser capaz de leer textos cada vez más complejos y variados, puedes hacer varias cosas:

☐ Fíjate en la presentación y en las imágenes que acompañan al texto. Te darán mucha información sobre él.

☐ Usa tus conocimientos previos sobre el tema; eso te ayudará a entenderlo mejor.

☐ Piensa que es normal no entender todas las palabras e intenta deducir su significado por el contexto.

☐ Busca algunas palabras en el diccionario, pero solo las necesarias.

Hablar

Muchos estudiantes se ponen nerviosos cuando tienen que hablar delante de sus compañeros. Aquí tienes algunos consejos:

☐ Prepara el texto con tiempo. Haz un esquema con las ideas principales que vas a exponer y planea qué vocabulario y qué estructuras vas a usar.

☐ Si se trata de una actividad importante, ensaya antes solo o delante de un amigo.

☐ Intenta llenar los silencios con expresiones como **bueno, entonces...**

B. Ahora, comenta tus respuestas con tus compañeros.

● Yo, cuando escucho, intento encontrar las palabras clave, pero muchas veces me pongo nervioso si no lo entiendo a la primera.
○ Pues yo...

3. BAUTISTA ES UN DESASTRE

A. Bautista es un mayordomo terrible. Sin embargo, hay algunas cosas que no hace del todo mal. Relaciona cada frase con una imagen. ¿Qué cosas crees que le gusta hacer?

1. Le cuesta hacerse el nudo de la corbata.
2. Le da vergüenza salir a la calle con el uniforme.
3. Le resulta imposible controlar a los niños.
4. No consigue recordar los horarios de las comidas.
5. Es muy bueno planchando.
6. Se le da muy bien la cocina.
7. Se pone nervioso cuando tiene que servir la sopa.
8. Se siente ridículo cuando le hacen fotos en las fiestas.

(A)
(B)
(C)
(D)
(E)
(F)
(G)
(H)

B. Observa cómo funcionan los verbos **costar, dar vergüenza**/... y **resultar fácil/difícil**... ¿Conoces otros que funcionen igual? ¿Cuáles? Coméntalo con tus compañeros. Luego, escribe cinco frases sobre ti utilizando los verbos del recuadro.

(A mí) (no) me	**cuesta/n** **da/n vergüenza/**... **resulta/n fácil/es / difícil/es**...	hablar en público. memorizar teléfonos. escribir mensajes en mi móvil. los problemas de matemáticas. levantarme temprano. hablar en español.

C. Fíjate en cómo funciona la expresión **dársele bien/mal** (algo a alguien). Luego, pregunta a un compañero sobre sus habilidades en los siguientes temas.

• **La cocina**
• **Las manualidades**
• **Los idiomas**
• **Las matemáticas**
• **Los deportes**

Se me da/n bastante bien.
No se me da/n (muy) mal.
No se me da/n (muy) bien.
Se me da/n fatal.

• ¿Se te dan bien las manualidades?
○ ¡Qué va! Se me dan fatal.

4. AUNQUE

Lee estos diálogos y fíjate en cómo usamos la palabra **aunque**. ¿Entiendes qué significa? ¿Existe una palabra equivalente en tu lengua? ¿Es equivalente en los dos casos?

• ¿Te gusta ver películas en español?
○ Sí, **aunque** a veces no lo entiendo todo.

• **Aunque** de pequeño vivió en Alemania, no habla alemán.
○ ¿Se le olvidó?
• Sí, por completo.

HABLAR DE EMOCIONES

Para hablar de emociones usamos las expresiones
dar vergüenza/miedo/pánico/pena...

(a mí)	**me**		
(a ti)	**te**		(INFINITIVO)
(a él/ella/usted)	**le**	**da** miedo	hablar en público
(a nosotros/as)	**nos**		(SUSTANTIVO SINGULAR)
			esta situación
(a vosotros/as)	**os**	**dan** miedo	(SUSTANTIVO PLURAL)
(a ellos/as/ustedes)	**les**		estas situaciones

- *A veces **me da vergüenza** leer mis trabajos en clase.*

También usamos las expresiones **ponerse nervioso/a**,
rojo/a, histérico/a, de buen/mal humor, triste...

(yo)	**me pongo**	
(tú)	**te pones**	
(él/ella/usted)	**se pone**	nervios**o/a**
(nosotros/as)	**nos ponemos**	
(vosotros/as)	**os ponéis**	
(ellos/as/ustedes)	**se ponen**	nervios**os/as**

Y también usamos **sentirse bien/mal, sentirse ridículo/a,
sentirse cansado/a**...

- ***Me siento** un poco **ridículo** cuando el profe dice que
  mi trabajo está muy bien y todo el mundo me mira.*

> Algunos verbos, como **poner**, funcionan de dos maneras:
> **Me pongo nervioso/a cuando** tengo que hablar en público.
> **Me pone nervioso/a hablar** en público.

HABLAR DE HABILIDADES

(a mí)	**me**		(INFINITIVO)
(a ti)	**te**	**cuesta**	leer
(a él/ella/usted)	**le**	**resulta** fácil/...	(SUST. SINGULAR)
(a nosotros/as)	**nos**		la lectura
(a vosotros/as)	**os**	**cuestan**	(SUST. PLURAL)
(a ellos/as/ustedes)	**les**	**resultan** fáciles/...	las matemáticas

- *Me gustaría estudiar Arquitectura, pero el dibujo
  me cuesta mucho.*

(a mí)	**se me**		bien	(INFINITIVO)
(a ti)	**se te**	**da**	mal	cocinar
(a él/ella/usted)	**se le**		...	(SUSTANTIVO SINGULAR)
(a nosotros/as)	**se nos**			la cocina
(a vosotros/as)	**se os**	**dan**	bien	(SUSTANTIVO PLURAL)
(a ellos/as/ustedes)	**se les**		mal ...	las matemáticas

- *¿Qué tal **se te da** la cocina?*
- *Fatal, no sé hacer ni un huevo frito.*

VERBOS QUE LLEVAN PRONOMBRES

ME/TE/SE/NOS/OS/SE

	hacerse	
(yo)	**me** hago	
(tú)	**te** haces	viej**o/a**
(él/ella/usted)	**se** hace	
(nosotros/as)	**nos** hacemos	
(vosotros/as)	**os** hacéis	viej**os/as**
(ellos/as/ustedes)	**se** hacen	

Otros verbos: **ponerse, quedarse, sentirse**, etc.

ME/TE/LE/NOS/OS/LES

	interesar
(a mí)	**me** interesa/n
(a ti)	**te** interesa/n
(a él/ella/usted)	**le** interesa/n
(a nosotros/as)	**nos** interesa/n
(a vosotros/as)	**os** interesa/n
(a ellos/as/ustedes)	**les** interesa/n

Otros verbos: **costar, gustar, apasionar, interesar, dar
miedo/vergüenza, poner nervioso/triste**...

En estos casos, los verbos se usan casi siempre en tercera
persona del singular y del plural. El sujeto es aquello que
nos provoca un determinado sentimiento: interés, miedo...

- *¿Te interes**an las ciencias**?*
- *Bastante, sobre todo me interesa **la Geología**.*

SE ME/SE TE/SE LE/SE NOS/SE OS/SE LES

(a mí)	**se me** olvida/n
(a ti)	**se te** olvida/n
(a él/ella/usted)	**se le** olvida/n
(a nosotros/as)	**se nos** olvida/n
(a vosotros/as)	**se os** olvida/n
(a ellos/ellas/ustedes)	**se les** olvida/n

> El sujeto es aquello
> que hemos olvidado,
> perdido, roto...; no
> la persona.

Otros verbos: **perdérsele** (algo a alguien), **rompérsele** (algo
a alguien), **caérsele** (algo a alguien), etc.

Con estos verbos expresamos una idea de involuntariedad. En estos casos, los verbos solo se usan en tercera
persona del singular y del plural.

- *¿**Se te han** olvidado **los documentos**?*
- *No. Están aquí, pero **se me ha** perdido **uno**.*

AUNQUE

Con **aunque** unimos dos informaciones que son, en
apariencia, contradictorias. Es decir, la frase introducida
por **aunque** presenta una información que, "lógicamente",
debería tener una consecuencia diferente.

- **Aunque** vivíamos en el campo, no teníamos animales.
- Viste de una manera sencilla **aunque** gana mucho dinero.

5. EL ITALIANO EN EL CORAZÓN

A. Johanna participó una vez en un curso sobre plurilingüismo. Una de las actividades del curso consistía en colocar las diferentes lenguas que hablaban los participantes en las partes del cuerpo de un dibujo como este. Luego, debían explicar a sus compañeros por qué habían colocado en ese lugar cada una de las lenguas. Escucha y marca dónde colocó Johanna las seis lenguas que habla.

B. Vuelve a escuchar la conversación y anota las razones que da Johanna para colocar una lengua en un sitio u otro. Luego, compara tu información con la de un compañero.

C. Ahora, te toca a ti. ¿Dónde pondrías tú las lenguas que hablas?

italiano

6. DICCIONARIO DEL CARÁCTER

A. ¿Cómo es una persona simpática? ¿Por qué crees que a alguien se le considera "simpático/a"? ¿Cuáles son sus habilidades? ¿En qué es buena? Escríbelo.

> Una persona simpática es buena relacionándose con la gente.
> No se pone nerviosa cuando...

B. Ahora, en parejas, intentad describir el comportamiento de tres de los siguientes tipos de personas. ¿Cómo se comporta una persona...?

inteligente	feliz	egoísta	tímida
sosa	abierta	comprensiva	desordenada
perfecta	tonta	organizada	atractiva

- Una persona feliz es una persona que se siente bien consigo misma, que está contenta con su vida...

C. Leed las descripciones a vuestros compañeros, pero sin decir el adjetivo. Ellos deben adivinar de qué tipo de persona se trata.

- Es muy buena aprendiendo cosas nuevas y estudiando. No le cuestan los problemas de lógica ni...
- Es una persona...

8. PARA APRENDER MEJOR

A. En parejas, vais a reflexionar sobre qué cosas sois capaces de hacer en español y qué cosas aún no hacéis tan bien como os gustaría. Completad los cuadros en vuestro cuaderno y, luego, comentad qué cosas queréis aprender en este curso. Pensad en vuestras necesidades e intereses.

Sí,	(eso) se me da (muy) bien (eso) no se me da (muy) mal aunque (a veces) me resulta difícil/complicado... me pongo nervioso/a cuando... necesito leer/escuchar... más de una vez no consigo... cometo errores...
No,	(eso) se me da (bastante) mal (eso) no se me da (muy) bien (eso) me cuesta mucho/bastante

CUANDO LEES...	
¿Qué tipo de textos eres capaz de entender?	¿Cuáles te gustaría entender mejor?
Correos electrónicos ...	Artículos de prensa ...

CUANDO ESCUCHAS...	
¿Qué tipo de textos eres capaz de entender?	¿Cuáles te gustaría entender mejor?
Las explicaciones en clase ...	Programas de televisión ...

CUANDO PARTICIPAS EN CONVERSACIONES...	
¿En qué situaciones eres capaz de desenvolverte bien?	¿En cuáles te gustaría hacerlo mejor?
Con amigos ...	Con desconocidos en la calle...

"Empecé a esquiar de mayor, con casi 30 años. Mi novia de entonces era una gran esquiadora y empecé a ir con ella. Al principio no me gustaba mucho, me daba un poco de miedo y me sentía un poco tonto, porque ella esquiaba muy bien y yo, fatal. Pero ella era muy paciente conmigo, me ayudaba, me animaba, y sus amigos también. Luego, hice un par de cursos para mejorar mi técnica y así empecé a esquiar por las pistas más difíciles. Desde entonces, el esquí es mi deporte favorito y todos los años paso una semana esquiando en algún sitio de Europa."

Jordi Alvarado

7. HABLABA INGLÉS FATAL

A. Lee estas experiencias de aprendizaje de tres españoles. ¿Cuáles te parece que fueron positivas? ¿Cuáles negativas? ¿Por qué? Coméntalo con un compañero.

"Estudié piano de los 10 a los 16 años. La verdad es que empecé porque mis padres me apuntaron en el Conservatorio, pero a mí no me gustaba especialmente, aunque tampoco me disgustaba. Yo era bastante buena tocando, pero un poco vaga. En realidad, el piano no me interesaba mucho y los profes cada año nos exigían más. O sea que, cuando empecé a salir por ahí y a tener un grupo de amigos, lo dejé. Y nunca más volví a tocar el piano."

Arantxa García

"Cuando llegué a Estados Unidos para estudiar en la Universidad, hablaba inglés fatal, de modo que primero hice un curso intensivo de ocho meses. Por la mañana, iba a clase y, por la tarde, estudiaba en casa o salía con mis compañeros de curso. Además, veía mucho la tele en inglés, leía revistas... Luego, hice las pruebas para entrar en la Facultad de Medicina y me admitieron. Así que estudié toda la carrera en inglés. Ahora me resulta casi tan natural hablar en inglés como en español."

Carlos Duato

B. Ahora, piensa en cosas que has aprendido a hacer bien, en experiencias de aprendizaje positivas. ¿Por qué crees que fueron positivas? ¿Cuáles eran las circunstancias?

C. En grupos de tres, compartid vuestras experiencias. Intentad llegar a conclusiones sobre qué cosas influyen en el éxito a la hora de aprender algo.

- Una cosa que creo que hago bien es bailar tango.
- ○ ¿Ah, sí? ¿Y cuándo aprendiste?
- Empecé hace un par de años en un curso que hice en mi barrio. Aprendí rápido porque...

D. ¿Has tenido alguna experiencia de aprendizaje negativa? Cuéntasela a tus compañeros.

CUANDO HABLAS (TÚ SOLO) DELANTE DE OTROS...	
¿Qué cosas eres capaz de hacer bien?	¿Cuáles te gustaría hacer mejor?
Presentar un trabajo en clase...	Intervenir en una reunión de trabajo...

CUANDO ESCRIBES...	
¿Qué cosas eres capaz de hacer bien?	¿Cuáles te gustaría hacer mejor?
Escribir correos electrónicos...	Escribir informes ...

- ¿Tú eres capaz de entender letreros, menús y ese tipo de cosas?
- ○ Sí, en general sí.
- ¿Y cartas?
- ○ Sí, aunque a veces me cuesta...

B. Con otra pareja, haced una lista con cinco o seis cosas que creéis que todavía no sois capaces de hacer muy bien y que os parecen interesantes e importantes.

- Nosotros dos creemos que todavía no entendemos bien las películas y la tele.
- ○ Nosotros también lo hemos apuntado.

C. Ahora, pasad vuestra lista a otro grupo. A partir de la lista, ellos van a elaborar una serie de carteles para la clase. Cada cartel debe proponer un objetivo (una de las cosas en las que queréis mejorar) y algunas estrategias para conseguirlo. ¡Ánimo!

PARA ENTENDER MEJOR LAS PELÍCULAS EN ESPAÑOL PODEMOS:

- VER PELÍCULAS CON SUBTÍTULOS EN ESPAÑOL
- LEER ANTES UN RESUMEN DE LA PELÍCULA
- IR A MENUDO AL CINE A VER PELÍCULAS EN ESPAÑOL

9. LIBROS, LIBROS

A. No hay datos fiables sobre cuáles son las obras más traducidas de la literatura en español, pero podemos asegurar, sin duda, que estas tres novelas estarían en los primeros lugares.

Don Quijote de la Mancha
Rayuela
Cien años de soledad

¿Sabes algo sobre estas obras? Aquí tienes el nombre y la imagen de sus autores, el año de publicación y las primeras líneas de los tres libros. ¿Sabes a qué novela corresponde cada dato?

Julio Cortázar
(Bruselas, 1914, París, 1984)

Gabriel García Márquez
(Aracataca, Colombia, 1928)

Miguel de Cervantes
(Alcalá de Henares, España, 1547, Madrid, 1616)

1963
1967
1605-1615

1 Muchos años después, frente al pelotón de fusilamiento, el coronel Aureliano Buendía había de recordar aquella tarde remota en que su padre lo llevó a conocer el hielo. Macondo era entonces una aldea de veinte casas de barro y cañabrava construidas a orillas de un río de aguas diáfanas que se precipitaban por un lecho de piedras pulidas, blancas y enormes como huevos prehistóricos.

2 ¿Encontraría a la Maga? Tantas veces me había bastado asomarme, viniendo por la rue de Seine, al arco que da al quai de Conti, y apenas la luz de ceniza y olivo que flota sobre el río me dejaba distinguir las formas, ya su silueta delgada se inscribía en el Pont des Arts, a veces andando de un lado a otro, a veces detenida en el pretil de hierro, inclinada sobre el agua.

3 En un lugar de la Mancha, de cuyo nombre no quiero acordarme, no ha mucho tiempo que vivía un hidalgo de los de lanza en astillero, adarga antigua, rocín flaco y galgo corredor. Una olla de algo más vaca que carnero, salpicón las más noches, duelos y quebrantos los sábados, lentejas los viernes, algún palomino de añadidura los domingos, consumían las tres partes de su hacienda.

B. ¿Dónde crees que transcurren estas novelas? ¿Crees que podrías leerlas en español? ¿En una versión adaptada? ¿Y en tu propia lengua? ¿Qué te parecen estos tres comienzos? ¿Cuál te parece más interesante?

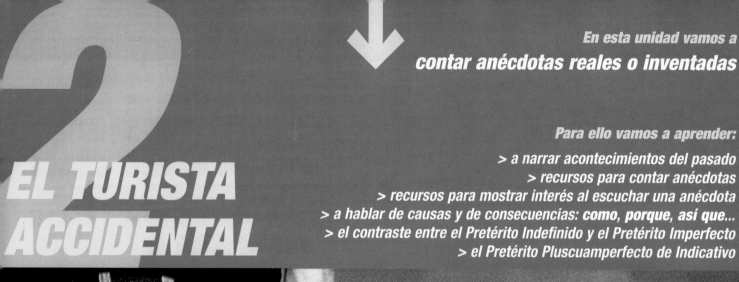

2

EL TURISTA
ACCIDENTAL

En esta unidad vamos a
contar anécdotas reales o inventadas

Para ello vamos a aprender:

> *a narrar acontecimientos del pasado*
> *recursos para contar anécdotas*
> *recursos para mostrar interés al escuchar una anécdota*
> *a hablar de causas y de consecuencias:* **como, porque, así que...**
> *el contraste entre el Pretérito Indefinido y el Pretérito Imperfecto*
> *el Pretérito Pluscuamperfecto de Indicativo*

COMPRENDER

1. VACACIONES

A. Completa este cuestionario sobre tus hábitos en los viajes. Puedes marcar más de una opción. Luego, compara tus respuestas con las de un compañero y toma nota de las suyas.

1. Cuando decides hacer un viaje, ¿qué haces?
☐ Voy a una agencia de viajes y comparo precios.
☐ Busco en Internet y lo organizo yo.
☐ Pregunto a amigos o a conocidos.
☐ Siempre voy de vacaciones al mismo sitio.

2. ¿Cuándo preparas el viaje?
☐ Siempre con mucha antelación; un año antes como mínimo.
☐ Unos meses o unas semanas antes.
☐ Normalmente una semana antes.
☐ Nunca lo preparo, improviso.

3. Prefieres viajar…
☐ con un grupo numeroso.
☐ con la familia.
☐ con amigos.
☐ solo/a.

4. ¿Qué es lo que más te gusta hacer en tus vacaciones?
☐ Perderme por las calles; descubrir cómo vive la gente.
☐ Salir de noche y conocer la vida nocturna.
☐ Descansar cerca del mar o en la montaña…
☐ Visitar museos, iglesias, monumentos…

5. ¿Qué tipo de alojamiento prefieres?
☐ Acampar en plena naturaleza.
☐ Alquilar un apartamento.
☐ Hospedarme en una casa rural.
☐ Alojarme en un hotel.

6. ¿Qué sueles comprar en tus viajes?
☐ Productos típicos (artesanía, alimentos, bebidas, ropa…).
☐ Música.
☐ Souvenirs.
☐ Nada, no me gusta comprar.

7. Lo que nunca falta en tu maleta es…
☐ un buen libro.
☐ una plancha.
☐ una cámara.
☐ un botiquín.

8. ¿Qué te gusta comer cuando viajas?
☐ Como las cosas típicas, pero solo en buenos restaurantes.
☐ Lo mismo que en mi país.
☐ Pruebo la comida del lugar y como de todo.
☐ Me llevo la comida de casa.

● Yo, cuando quiero preparar un viaje, normalmente voy a una agencia de viajes, ¿y tú?
○ Pues yo no, yo prefiero…

B. Ahora, interpreta las respuestas de tu compañero e intenta explicar a los demás cómo es.

independiente · imprudente · intelectual · previsor/a · aventurero/a · organizado/a · valiente · tradicional · curioso/a · deportista · prudente · raro/a · original · familiar

● Yo creo que Gina es muy previsora, siempre prepara sus viajes con muchísima antelación y…

C. Fíjate en estas ofertas de viajes y elige uno para ti. Luego, justifica tu elección al resto de la clase.

MARRUECOS. Ciudades, desierto y Atlas
Precio desde: ~~319,00~~ → 219,00 € | Más detalles: www.supergangas.es
Ven a conocer sus ciudades más importantes y a recorrer las montañas del Atlas y el desierto del Sáhara. Será una experiencia inolvidable. Marruecos es un país fascinante, una mezcla de cultura milenaria y de modernidad.

PARÍS. La ciudad de la luz
Precio desde: ~~299,20~~ → 249,00 € | Más detalles: www.supergangas.es
París, ciudad de la luz y del amor, ofrece glamour en cada esquina: sus cafés, que recuerdan con nostalgia los años de la Belle Époque, maravillas arquitectónicas como Notre Dame o la Torre Eiffel, el Sagrado Corazón de Montmartre, el Museo del Louvre…

MENORCA. La isla paradisíaca
Precio desde: ~~250,00~~ → 199,00 € | Más detalles: www.supergangas.es
Menorca es una isla apacible donde el visitante encuentra un paraíso de tranquilidad. La belleza de sus calas hace de la isla un lugar idóneo para unas agradables vacaciones alejadas del ruido y del estrés de la vida cotidiana.

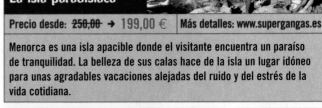

ISLANDIA. Volcanes, glaciares y desierto
Precio desde: ~~375,00~~ → 289,00 € | Más detalles: www.supergangas.es
El viaje ideal para personas activas que disfrutan de la naturaleza. Descubre espectaculares parajes visitando glaciares, desiertos de arena negra, fuentes termales, volcanes…

● Yo creo que prefiero el viaje a Marruecos porque…

2. ¿BUEN VIAJE?

A. Trotamundos.com es una página web sobre viajes. Algunos usuarios cuentan en ella sus experiencias.
Léelas y, luego, completa el cuadro.

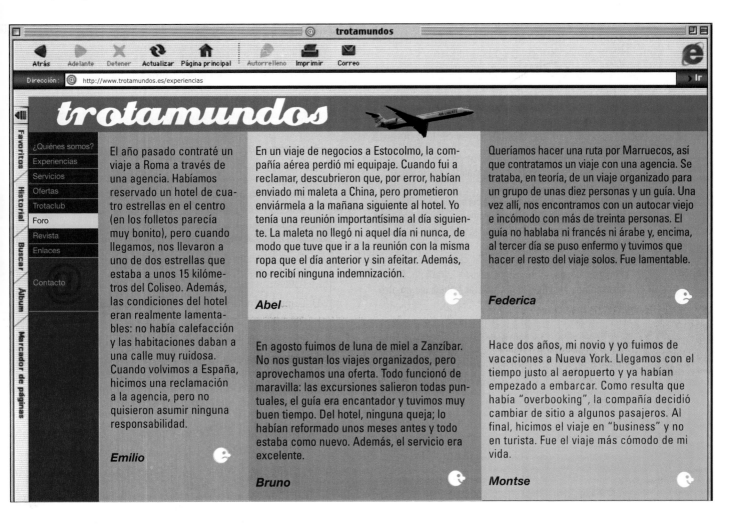

trotamundos

¿Quiénes somos? Experiencias Servicios Ofertas Trotaclub Foro Revista Enlaces Contacto	El año pasado contraté un viaje a Roma a través de una agencia. Habíamos reservado un hotel de cuatro estrellas en el centro (en los folletos parecía muy bonito), pero cuando llegamos, nos llevaron a uno de dos estrellas que estaba a unos 15 kilómetros del Coliseo. Además, las condiciones del hotel eran realmente lamentables: no había calefacción y las habitaciones daban a una calle muy ruidosa. Cuando volvimos a España, hicimos una reclamación a la agencia, pero no quisieron asumir ninguna responsabilidad.\n\n*Emilio*	En un viaje de negocios a Estocolmo, la compañía aérea perdió mi equipaje. Cuando fui a reclamar, descubrieron que, por error, habían enviado mi maleta a China, pero prometieron enviármela a la mañana siguiente al hotel. Yo tenía una reunión importantísima al día siguiente. La maleta no llegó ni aquel día ni nunca, de modo que tuve que ir a la reunión con la misma ropa que el día anterior y sin afeitar. Además, no recibí ninguna indemnización.\n\n*Abel*	Queríamos hacer una ruta por Marruecos, así que contratamos un viaje con una agencia. Se trataba, en teoría, de un viaje organizado para un grupo de unas diez personas y un guía. Una vez allí, nos encontramos con un autocar viejo e incómodo con más de treinta personas. El guía no hablaba ni francés ni árabe y, encima, al tercer día se puso enfermo y tuvimos que hacer el resto del viaje solos. Fue lamentable.\n\n*Federica*

(El cuadro superior combina las experiencias de Emilio, Abel y Federica; las siguientes corresponden a Bruno y Montse.)

En agosto fuimos de luna de miel a Zanzíbar. No nos gustan los viajes organizados, pero aprovechamos una oferta. Todo funcionó de maravilla: las excursiones salieron todas puntuales, el guía era encantador y tuvimos muy buen tiempo. Del hotel, ninguna queja; lo habían reformado unos meses antes y todo estaba como nuevo. Además, el servicio era excelente.

Bruno

Hace dos años, mi novio y yo fuimos de vacaciones a Nueva York. Llegamos con el tiempo justo al aeropuerto y ya habían empezado a embarcar. Como resulta que había "overbooking", la compañía decidió cambiar de sitio a algunos pasajeros. Al final, hicimos el viaje en "business" y no en turista. Fue el viaje más cómodo de mi vida.

Montse

⬛⬛⬛ ¿QUÉ PASÓ?	¿A QUIÉN?
1. El viaje estuvo muy bien organizado.	
2. El alojamiento no era como les habían prometido.	
3. Le perdieron las maletas y nunca las recuperó.	
4. Tuvieron suerte con el hotel.	
5. Tuvieron mala suerte con el guía; estuvieron solos la mayor parte del viaje.	
6. Las condiciones reales del viaje no eran las que anunciaban los folletos.	
7. Estuvieron a punto de perder el avión.	
8. Tuvieron buena suerte con el vuelo; les pusieron en una clase superior.	
9. Hicieron una reclamación pero no recibieron ninguna compensación.	

B. Y tú, ¿has estado en alguno de los lugares que se mencionan en los textos? ¿Has tenido algún problema parecido alguna vez?

● Yo, una vez, tuve que pasar dos días en un aeropuerto porque había huelga de controladores.
○ ¿Ah, sí? ¡Qué rollo!
■ Pues yo...

3. EQUIPAJE EXTRAVIADO

A. Vas a escuchar a unas amigas que comentan una anécdota. Marca qué frase la resume.

☐ En un viaje a Japón le perdieron la maleta y nunca la recuperó.

☐ En un viaje a Japón le perdieron la maleta y durante unos días se tuvo que poner la ropa de sus amigas.

B. Aquí tienes la transcripción de la conversación. Léela y vuelve a escuchar. En rojo aparecen los recursos que utiliza la interlocutora para mostrar interés. Relaciona cada recurso con las explicaciones de la izquierda.

REACCIONA EXPRESANDO SENTIMIENTOS: SORPRESA, ALEGRÍA...	• A mí, <u>una vez</u> me perdieron las maletas en un viaje. ○ ¡Qué rabia!, ¿no? • Pues sí... Era un viaje de fin de curso, de la Universidad. Habíamos decidido ir a Japón <u>y bueno</u>, cuando llegamos, todo el mundo recogió sus maletas y yo, pues, esperando y esperando y nada.
HACE PREGUNTAS Y PIDE MÁS INFORMACIÓN	○ ¡Qué rollo! • Y digo: "Bueno, no sé, ahora saldrán". Pero no. Fui a preguntar y resulta que las maletas habían ido en otro avión... ¡a Cuba!
REPITE PALABRAS DEL OTRO	○ ¡A Cuba! • Sí, sí. ○ ¿Y qué hiciste?
DA LA RAZÓN O MUESTRA ACUERDO	• Bueno... Pues... En realidad, no podía hacer nada, <u>de modo que</u> al final me fui al hotel con los demás y a esperar. ¡Tardaron tres días en devolvérmelas! ○ ¡Tres días! ¡Qué fuerte! • Y claro, yo tenía toda la ropa en la maleta. <u>Así que</u> los primeros días tuve que pedir cosas a mis amigas, <u>¿no?</u>: camisetas, bañadores, ropa interior... de todo, <u>¿sabes?</u>
ACABA LAS FRASES DEL OTRO	○ Ya, claro. Eso o ir desnuda. • Menos mal que <u>al final</u> llegó la maleta porque, hija, <u>como</u> ninguna de mis amigas tiene mi talla... ○ ... ibas todo el día disfrazada, ¿no? ¡Menos mal!

C. Vuelve a leer la anécdota y fíjate ahora en los recursos subrayados. Sirven para organizar el relato. Clasifícalos en la columna correspondiente.

Empezar	Terminar	Mantener la atención o el turno de palabra	Hablar de causas y consecuencias

D. ¿Conoces otras expresiones para reaccionar, conectar, empezar, terminar y mantener la atención? Entre todos podéis hacer una lista en la pizarra.

4. ANTES O DESPUÉS

A. Lee estos cuatro pares de frases y responde a las preguntas.

	SÍ	NO
1. ¿Vieron a Juan?		
A. Cuando llegó Juan, **nos fuimos** al cine.		
B. Cuando llegó Juan, **nos habíamos** ido al cine.		
2. ¿Viajaron juntos?		
A. Cuando nos conocimos, **hicimos** muchos viajes.		
B. **Habíamos hecho** muchos viajes, cuando nos conocimos.		
3. ¿Se casaron Andrés e Inés en España?		
A. Cuando Andrés volvió a España, **se casó** con Inés.		
B. Cuando Andrés volvió a España, **se había casado** con Inés.		

B. Fíjate en los dos tiempos que están en negrita en las frases anteriores. ¿Entiendes cuándo usamos uno u otro? Ahora, lee estas frases y marca cuál de los dos tiempos es más adecuado en cada caso.

1. Al principio no lo reconocí porque no lo **vi / había visto** desde la escuela.

2. Cuando salimos del teatro, nos **fuimos / habíamos ido** a cenar.

C. Fíjate de nuevo en las frases anteriores. Cuando en un relato queremos marcar que una acción es anterior a otras acciones que ya hemos mencionado, usamos el Pretérito Pluscuamperfecto de Indicativo. ¿Sabes cómo se forma este tiempo? Completa el cuadro.

	Pretérito Imperfecto de **haber**	+	Participio
(yo)	había		
(tú)	....		
(él/ella/usted)	había		habl**ado**
(nosotros/nosotras)	....	+	com**ido**
(vosotros/vosotras)	....		viv**ido**
(ellos/ellas/ustedes)	habían		

NARRAR ACONTECIMIENTOS PASADOS

PRETÉRITO PLUSCUAMPERFECTO

Usamos el Pretérito Pluscuamperfecto para marcar que una acción pasada es anterior a otra ya mencionada.

	Pretérito Imperfecto de **haber**	+ Participio
(yo)	había	
(tú)	habías	viaj**ado**
(él/ella/usted)	había	com**ido**
(nosotros/nosotras)	habíamos	sal**ido**
(vosotros/vosotras)	habíais	
(ellos/ellas/ustedes)	habían	

23.30H

- Cuando **llegamos** al hotel, no pudimos cenar porque **habían cerrado** la cocina.

23.00H

PRETÉRITO INDEFINIDO

Lo usamos para relatar acciones pasadas.

PRETÉRITO IMPERFECTO

En un relato, el Imperfecto se suele usar para hablar de las circunstancias que rodean a otra acción.

Había mucho tráfico

El aeropuerto estaba lleno de gente

Fuimos al aeropuerto en autobús

Llegamos muy tarde

Perdimos el avión

Había overbooking

Observa que el Imperfecto no es independiente. La narración avanza por la secuencia de acciones referidas en Indefinido o Perfecto. El Imperfecto añade información sobre las circunstancias.

REFERENCIAS Y RELACIONES TEMPORALES EN EL PASADO

Aquel día/mes/año
Aquella semana/mañana/tarde/noche
Al día/mes/año siguiente
A la semana/mañana/tarde/noche siguiente
El día/mes/año anterior
La mañana/tarde/noche/semana anterior

- *Aquel día* estuvimos estudiando hasta tarde. *Al día siguiente* teníamos un examen muy importante.

RECURSOS PARA CONTAR ANÉCDOTAS

Cuando contamos una anécdota, utilizamos numerosos recursos. El que la cuenta intenta captar y mantener la atención de su interlocutor. Este coopera dando muestras de atención y de interés.

EMPEZAR UNA ANÉCDOTA

Para empezar a narrar la historia, podemos usar **resulta que**.

- **Resulta que** un día estábamos en Lugo y queríamos salir...

Para situar una anécdota en el tiempo, utilizamos:

Un día / Ayer...	**Una vez/noche**...
Hace unos meses	**El otro día / La otra tarde**...

- *Una vez* me quedé dos horas encerrada en un lavabo.

También solemos usar el verbo **pasar**.

- Hace tiempo **me pasó** una cosa increíble. Estaba en...

TERMINAR UNA ANÉCDOTA

Para terminar una anécdota, presentando el resultado de lo relatado anteriormente, solemos usar recursos como:

- **Al final** fuimos en tren porque no había plazas en el avión.
- **Total, que** todos se fueron y tuve que pagar yo la cuenta.

MOSTRAR INTERÉS AL ESCUCHAR UNA ANÉCDOTA

Solemos reaccionar haciendo preguntas, pidiendo detalles.

¿Y qué hiciste?	**¿Qué pasó?**	**¿Y cómo terminó?**

Dando la razón o mostrando acuerdo.

Claro.	**Normal.**	**Lógico.**	**Ya.**

O con expresiones de sorpresa, alegría...

¿Ah, sí?
¡No!
¡Menos mal!
¡No me digas!
¡Qué rabia/horror/rollo/pena/bien/mal/extraño...!, (¿no?)
¡Qué mala/buena suerte!, (¿no?)

También podemos mostrar interés mediante la risa, repitiendo las palabras del otro o acabando las frases del que habla (normalmente con otra entonación).

HABLAR DE CAUSAS Y CONSECUENCIAS

Para presentar la causa, usamos **como** y **porque**.

- **Como** no tenía dinero, me quedé en casa.
- Nos quedamos en casa **porque** no teníamos dinero.

Para presentar las consecuencias, usamos **así que** o **de modo que**.

- Estábamos agotados, **así que** decidimos no salir.
- No reservé con tiempo, **de modo que** me quedé sin plaza.

5. METER BAZA

A. Anabel Portero habla y habla sin parar. Fíjate en su "monólogo" y decide dónde y cómo puedes intervenir. Estos recursos te pueden ayudar. Luego, compáralo con tu compañero y, finalmente, practicad el diálogo. Quizá tendréis que añadir o modificar algo.

¿Ah, sí?	¿Qué?	¡No!	Ya	¡Menos mal!
¿Por qué?	¿Y qué pasó?	¡Qué mala suerte!		
¿Y cómo terminó?	¿Y qué hiciste?	¡No me digas!		

"¿Sabes qué? Resulta que ayer no dormí en casa. Pues nada... que me dejé las llaves dentro. Sí, sí dentro de casa, y no me di cuenta hasta que llegué a casa, tardísimo. ¿Sabes cuando empiezas a buscar y a buscar y no las encuentras y te asustas? Bueno. Yo vivo con un amigo, ¿sabes? Entonces empecé a llamar al timbre y mi amigo, nada, que no me oía. Así estuve una hora y nada... Al final, llamé por teléfono a una amiga que vive cerca y he dormido allí esta noche. Sí, menos mal porque ya no sabía qué hacer."

B. Y a ti, ¿te ha pasado algo similar alguna vez? Piénsalo y coméntalo con tus compañeros.

6. CUENTA, CUENTA...

A. Vamos a trabajar en parejas. Averigua si a tu compañero le han pasado algunas de estas cosas.

■■■	Sí	No
1. olvidarse las llaves dentro de casa/del coche...		
2. enamorarse a primera vista		
3. perder un avión/tren...		
4. conocer a una persona famosa		
5. encontrar algo de valor por la calle		
6. tener que dormir en la calle		
7. ir a una comisaría de policía		
8. pasar mucho miedo		
9. tener una experiencia paranormal		

● ¿Has perdido alguna vez un avión?
○ Sí, una vez.

B. ¿Quieres saber más sobre esas cosas que le han pasado a tu compañero? ¿Qué otras preguntas puedes hacerle?

¿Cuándo fue?	¿Dónde estabas?	¿Con quién?
¿Por qué?	¿Qué habías hecho antes?	
¿Adónde ibas?	¿Qué pasó al final?	

7. A MÍ, UNA VEZ...

Aquí tienes una serie de elementos para contar tres anécdotas. En grupos de tres, cada uno elige una y se la cuenta a sus compañeros con la ayuda de los recursos de abajo. Los otros escuchan y reaccionan.

resulta que	porque	y entonces	total, que
así que	al final	como	de modo que

Hace un tiempo / En un parque / *Ver* a una chica y a un chico peleándose / La chica *estar* muy asustada / *Llamar* a la policía / *Estar rodando* una película

El otro día / *Llevar* solo 6 € / *Decidir* comprar un billete de lotería / *Ganar* un premio de 600 € / *Invitar* a unos amigos a una barbacoa / *Pasarlo* muy bien

Una vez / *Encontrar* a alguien en un tren / *Empezar* a hablarle y preguntarle por su vida / *Pensar* que lo conocía La otra persona *mirarme* con cara rara / *Parecerse* mucho a un amigo / *Confundir* con un amigo

En la isla (de 1750 a 1770)

8. EL VIAJE DE PETRA

En 1750 el barco en el que iba Petra Smith naufragó cerca de las costas de Papúa-Nueva Guinea. Ella fue la única superviviente. Veinte años después la rescataron y volvió a su Londres natal. Fíjate en los dibujos y completa las frases.

En Londres (a partir de 1770)

➡️ Llegó a Londres y casi no recordaba a nadie; **había pasado más de veinte años fuera.**

➡️ Como ...., publicó el primer mapa de las islas de Papúa.

➡️ Llegó a Londres con una gran fortuna porque en la isla ....

➡️ Como ...., publicó un curso de inglés para papúes.

➡️ Se convirtió en la primera profesora de lenguas papúes en Gran Bretaña porque en la isla ....

➡️ Organizó un partido político de mujeres sufragistas ....

9. VACACIONES INFERNALES

Vamos a imaginar unas vacaciones desastrosas. En parejas, mirad el programa de este viaje a San Martín (un lugar imaginario) y escribid un texto contando todo lo que salió mal. Luego, leedlo a vuestros compañeros. ¿Quién tuvo las peores vacaciones?

DÍA 1
9.00 Traslado al aeropuerto en autobús
2.00 Salida del vuelo 765
7.00 Llegada y traslado al hotel en oche típico de la zona
8.30 Cóctel de bienvenida en el otel Tortuga Feliz (de 4 estrellas)
0.00 Baño nocturno en la piscina
2.00 Cena al aire libre

VISITE...

SAN MARTÍN

DÍA 2
08.00 Desayuno
10.00 Excursión en camello
12.00 Visita comentada a las ruinas de Santiago
14.00 Comida en el oasis de Miras. Alimentos naturales: cocos, dátiles...
17.00 Paseo por las dunas de Fraguas
19.00 Vuelta al hotel en furgoneta
21.00 Cena

DÍA 3
09.00 Desayuno
10.00 Actividades lúdicas: gimnasia acuática con instructor, masajes con barro caliente del desierto de Fraguas
12.00 Paseo a caballo por el desierto
14.00 Comida. Degustación de productos de la zona: dátiles, hormigas, escorpiones...
Tarde libre

DÍA 4
09.00 Desayuno
10.00 Excursión a las playas de Lama (se recomienda llevar antimosquitos)
14.00 Comida en la playa
17.00 Visita en helicóptero al gran cañón de Santa Cruz para ver sus impresionantes puestas de sol
20.00 Cena de despedida en el hotel

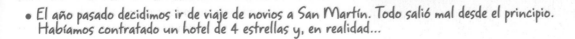

● El año pasado decidimos ir de viaje de novios a San Martín. Todo salió mal desde el principio. Habíamos contratado un hotel de 4 estrellas y, en realidad...

10. LA NOCHE DE SAN JUAN

A. ¿Con qué palabras asocias el verano? Márcalas y añade otras nuevas.

☐ El calor   ☐ La alegría   ☐ La noche
☐ El fuego   ☐ Las fiestas   ☐ La diversión
☐ Las vacaciones   ☐ La luz   ☐ El descanso

B. ¿Sabes por qué se celebra la noche de San Juan en España? Lee el texto para descubrirlo.

La noche de San Juan es una de las principales fiestas populares de España. Se celebra la madrugada del 23 al 24 de junio y festeja la llegada de la noche más corta del año (el solsticio de verano). Todas las celebraciones que se hacen esa noche tienen en común prácticas purificadoras relacionadas con el agua y el fuego, y tienen su origen en ritos heredados de la antigüedad. Se cree, por ejemplo, que toda el agua que se toma en la noche de San Juan es beneficiosa para la salud y algunas personas se bañan desnudas esa madrugada en ríos o en playas de su región.

San Juan se celebra en muchas zonas de España. En **Cataluña**, por ejemplo, se encienden hogueras en las calles, y en las numerosas fiestas, llamadas verbenas, se lanzan fuegos artificiales y se come la famosa "coca".

En **Alicante**, tres días antes de San Juan, se colocan en las calles una serie de enormes figuras de cartón y madera (los "ninots") que satirizan diversos aspectos de la vida social y política. Estos "ninots" se queman el día 24 en una ceremonia llamada "la cremà".

En **Ciutadella, (Menorca)** se lleva a cabo el "jaleo", una exhibición ecuestre de origen medieval. Los jinetes, vestidos con trajes de época, se pasean entre la multitud con sus caballos al son de músicas tradicionales. La bebida típica durante las fiestas de San Juan es la "pomada", una mezcla de ginebra local y limonada.

En **Icod de los Vinos (Tenerife)** se bajan desde la montaña más cercana los famosos "hachitos", estructuras de madera adornadas con ramas y flores.

En **San Pedro Manrique (Soria)** tiene lugar el famoso "paso del fuego". La gente del lugar pisa descalza las brasas de la hoguera, llevando muchas veces a otra persona a sus espaldas, sin sufrir daño alguno.

C. ¿A cuál de los sitios que se mencionan en el texto te gustaría ir la próxima noche de San Juan? ¿Por qué? ¿Hay alguna fiesta de verano en tu país? ¿En qué consiste?

3

¡BASTA YA!

En esta unidad vamos a

redactar un manifiesto reivindicando soluciones para un problema

Para ello vamos a aprender:
> *a expresar deseos, reclamaciones y necesidad* > *a valorar situaciones y hechos:* **me parece muy bien/mal... que** + *Presente de Subjuntivo*
> **querer/pedir/exigir/necesitar** + *Infinitivo,* **querer/pedir/exigir/necesitar que** + *Presente de Subjuntivo,* **que** + *Presente de Subjuntivo*
> *a proponer soluciones:* **deberíamos/deberían/se debería/habría que**
> **cuando** + *Subjuntivo* > *el Presente de Subjuntivo*

1. TEMAS QUE PREOCUPAN

A. ¿Cuáles imaginas que son los tres problemas que más preocupan a los españoles? Márcalo en el cuestionario de la derecha y, luego, coméntalo con un compañero.

- *Yo creo que, seguramente, a los españoles lo que más les preocupa es...*

B. Una empresa ha realizado un estudio para determinar cuáles son, según los españoles, los principales problemas del país. Léelo y comprueba tus hipótesis.

Cuestionario

ESTUDIO SOCIOLÓGICO 20345-B

Aquí tiene una serie de problemas que afectan a España. ¿Podría decirme cuáles considera usted que son los tres más graves?

- ☐ Los atracos, los robos y la inseguridad ciudadana.
- ☐ El tráfico y el consumo de drogas.
- ☐ El paro y la dificultad para encontrar el primer empleo.
- ☐ El coste de la vida, los precios y los salarios.
- ☐ La presión fiscal y los impuestos.
- ☐ El mal uso del dinero público y la corrupción.
- ☐ El terrorismo.
- ☐ La contaminación y la conservación del medio ambiente.
- ☐ La inmigración.
- ☐ NS/NC.

PRINCIPALES PROBLEMAS
DEL PAÍS

Una encuesta realizada en España sobre los principales problemas del país muestra que para seis de cada diez españoles el terrorismo es el problema más grave. El paro ocupa el segundo lugar, mientras que los atracos, los robos y la inseguridad ciudadana representan el tercer problema más grave para la sociedad española.

Los menores de 24 años son los que muestran más preocupación por el medio ambiente, mientras que los mayores de 55 años lo hacen por el problema del desempleo, la inseguridad ciudadana y el tráfico y el consumo de drogas. Las personas con estudios universitarios dan más importancia al problema del desempleo que el resto de los españoles.

	%
Terrorismo	62,2
Paro, dificultad para encontrar el primer empleo	43,6
Atracos, robos, inseguridad ciudadana	42
Tráfico y consumo de drogas	32,2
Coste de la vida, precios, salarios	22,6
Inmigración	14
Contaminación, conservación del medio ambiente	12
Mal uso del dinero público, corrupción	8,7
Presión fiscal, impuestos	6
NS/NC	0,6

Nota: La suma total es superior al 100% porque los entrevistados podían escoger más de una opción.

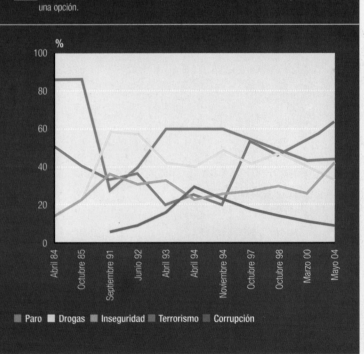

■ Paro ■ Drogas ■ Inseguridad ■ Terrorismo ■ Corrupción

C. ¿Cuál es el tema o los temas que más preocupan a estas personas?

Justa Bravo López. 66 años. Pensionista

"Yo vivo en un barrio muy céntrico y cada vez me da más miedo salir a la calle. Desde mi casa, todos los días oigo a alguien que grita detrás de un ladrón porque le han robado el bolso o la cartera. El otro día, a una vecina le quitaron el monedero en el mercado. ¡No hay derecho! Estas cosas antes no pasaban."

Lisa Gómez Silva. 34 años. Peluquera

"Yo no sé cómo consigue vivir una familia con los sueldos que tenemos en este país y lo cara que está la vida. En mi casa somos tres: mi marido, mi hijo y yo. Trabajamos los dos pero, aun así, a veces casi no llegamos a fin de mes. Dicen que en este país la gente no tiene hijos y me parece normal. Está todo carísimo."

Raúl Oliva Pozo. 23 años. Estudiante de Psicología

"Yo termino la carrera este año y no sé qué voy a hacer después. Vivo con mis padres, aunque me gustaría vivir solo. Pero es que encontrar trabajo es cada vez más difícil, especialmente si no tienes experiencia. Comprar un piso es imposible y los pocos pisos de alquiler que hay son carísimos. El gobierno debería construir más viviendas para jóvenes."

2. MANIFESTACIONES

🔊 **A.** Hoy, en una ciudad española, hay tres manifestaciones. Un reportero ha ido a hablar con los manifestantes para saber cuáles son sus reclamaciones. ¿Qué piden en cada una de ellas? Escucha y márcalo.

1
☐ Quieren que bajen los precios de las viviendas.
☑ Quieren ocupar las casas que están vacías.

2
☐ Piden que el gobierno legalice a los inmigrantes sin papeles.
☐ Creen que el gobierno debería buscar trabajo y vivienda a los inmigrantes.

3
☐ Exigen al gobierno que frene la desertización.
☐ Quieren que los agricultores aumenten la producción.

B. ¿Te parece justo lo que piden? Coméntalo con tus compañeros.

● Yo creo que la gente que ocupa una casa vacía no hace daño a nadie.
○ Pues a mí me parece bastante injusto porque…

C. ¿Cuándo crees que se lograrán las reivindicaciones que hemos escuchado?

3. REIVINDICACIONES

A. ¿A qué colectivos crees que pertenecen estas reivindicaciones?

- [ ] Asociación de jubilados
- [ ] Grupo feminista
- [ ] Grupo pacifista
- [ ] Asociación de parados
- [ ] Asociación de vecinos

1. ¡Que no nos mientan! ¡Basta de muertes a cambio de petróleo!

2. ¡No más despidos! ¡Necesitamos **trabajar!**

3. POR UNA VIDA DIGNA: **EXIGIMOS QUE NOS SUBAN LAS PENSIONES**

4. QUEREMOS QUE CONSTRUYAN UN PARQUE... ¡NO UN PARKING!

5. TRABAJAMOS LAS MISMAS HORAS QUEREMOS TENER LOS MISMOS SUELDOS

B. ¿Qué tienen en común las frases anteriores? Fíjate en las estructuras que están en rojo. ¿En qué casos se construyen con Infinitivo y cuándo con Presente de Subjuntivo?

C. ¿Sabes cómo se forma el Presente de Subjuntivo? Intenta completar las formas que faltan.

	hablar	comprender	subir
(yo)	hable	....	suba
(tú)	....	comprendas	....
(él/ella/usted)	hable	....	suba
(nosotros/as)	....	comprendamos	....
(vosotros/as)	habléis	....	subáis
(ellos/ellas/ustedes)	....	comprendan	....

D. Las siguientes formas verbales son irregulares. Corresponden a la primera persona del Presente de Subjuntivo. ¿Sabes cuál es su Infinitivo? Escríbelo.

1. haga *hacer*
2. sea ....
3. quiera ....
4. juegue ....
5. pueda ....
6. esté ....
7. pida ....
8. sepa ....
9. vaya ....
10. conozca ....
11. tenga ....
12. ponga ....

4. POR LOS ANIMALES

A. Lee esta entrevista y busca en el texto los argumentos con los que estás de acuerdo. Márcalos y, luego, coméntalos con tus compañeros.

Raúl Santos es presidente de APDA, la asociación para la defensa de los animales más importante de nuestro país. Acaba de publicar un libro titulado *Atacados e indefensos*.

"LA GENTE SIGUE TRATANDO MAL A LOS ANIMALES"

¿En España todavía se maltrata a los animales?
Creo que hemos mejorado mucho en los últimos años, pero todavía hay mucha gente que se comporta de una forma cruel con los animales.

Su asociación denuncia cientos de casos cada año.
Sí, y nos parece vergonzoso que, a estas alturas, algunas personas traten a los animales así, pero ocurre. Cada año denunciamos aproximadamente 500 casos de familias que abandonan a su perro o a su gato. Es inconcebible que hagan eso con animales indefensos que han crecido a su lado. Deberíamos tener leyes más duras para todas las personas que cometen esos crímenes.

¿Cuál es la postura de su asociación respecto a las corridas de toros?
Las hemos denunciado muchas veces y todos los años organizamos manifestaciones delante de las plazas de toros. Es lamentable que en el siglo XXI exista todavía esta demostración de crueldad y creemos que debería aprobarse de inmediato una ley para prohibir las corridas. Aquí no hay discusión ni debate posible.

Pero hay algunos datos positivos, ¿no cree? Últimamente se han prohibido varias fiestas populares en las que se maltrataba a animales.
¡Ya era hora! Es lógico que las leyes cambien y que se prohíban costumbres primitivas que ya no tienen ningún sentido. Es más, pensamos que habría que prohibirlas todas ya. Nuestra postura es clara: pedimos que las leyes y la sociedad respeten a los animales.

B. Ahora, clasifica las expresiones resaltadas en dos grupos: las que sirven para valorar y las que sirven para proponer soluciones.

PRESENTE DE SUBJUNTIVO

VERBOS REGULARES

	estudiar	comer	escribir
(yo)	estudie	coma	escriba
(tú)	estudies	comas	escribas
(él/ella/usted)	estudie	coma	escriba
(nosotros/nosotras)	estudiemos	comamos	escribamos
(vosotros/vosotras)	estudiéis	comáis	escribáis
(ellos/ellas/ustedes)	estudien	coman	escriban

ALGUNOS VERBOS IRREGULARES

	saber	ser	ir
(yo)	sepa	sea	vaya
(tú)	sepas	seas	vayas
(él/ella/usted)	sepa	sea	vaya
(nosotros/nosotras)	sepamos	seamos	vayamos
(vosotros/vosotras)	sepáis	seáis	vayáis
(ellos/ellas/ustedes)	sepan	sean	vayan

	estar	dar	ver	haber
(yo)	esté	dé	vea	haya
(tú)	estés	des	veas	hayas
(él/ella/usted)	esté	dé	vea	haya
(nosotros/nosotras)	estemos	demos	veamos	hayamos
(vosotros/vosotras)	estéis	deis	veáis	hayáis
(ellos/ellas/ustedes)	estén	den	vean	hayan

Los verbos con irregularidades **e-ie / o-ue** que diptongan en Presente de Indicativo también lo hacen en Presente de Subjuntivo en las mismas personas.

	E-IE	O-UE
	querer	poder
(yo)	quiera	pueda
(tú)	quieras	puedas
(él/ella/usted)	quiera	pueda
(nosotros/nosotras)	queramos	podamos
(vosotros/vosotras)	queráis	podáis
(ellos/ellas/ustedes)	quieran	puedan

Algunos verbos que presentan una irregularidad en la primera persona del Presente de Indicativo tienen esa misma irregularidad en todas las personas del Presente de Subjuntivo. Esto incluye los verbos con cambio vocálico **e-i** (**pedir**, **seguir**, **reír**...).

hacer ➡ **haga**...	conocer ➡ **conozca**...	tener ➡ **tenga**...
poner ➡ **ponga**...	salir ➡ **salga**...	venir ➡ **venga**...
decir ➡ **diga**...	oír ➡ **oiga**...	pedir ➡ **pida**...

EXPRESAR DESEOS Y RECLAMACIONES

QUERER/PEDIR/EXIGIR... + INFINITIVO

- Trabajamos las mismas horas. ¡ Queremos tener los mismos sueldos! (MISMO SUJETO)

QUERER/PEDIR/EXIGIR... QUE + PRESENTE DE SUBJUNTIVO

- ¡ Exigimos que se apruebe una ley contra la piratería! (SUJETOS DISTINTOS)

QUE + PRESENTE DE SUBJUNTIVO

- ¡Que se acaben las guerras!

EXPRESAR NECESIDAD

NECESITAR + INFINITIVO

- ¡No más despidos! ¡**Necesitamos trabajar**!

NECESITAR QUE + PRESENTE DE SUBJUNTIVO

- ¡**Necesitamos que** el Gobierno **nos suba** las pensiones!

VALORAR SITUACIONES Y HECHOS

Es Me parece	(i)lógico (in)justo increíble horrible normal importante una vergüenza una tontería ...	que + Presente de Subjuntivo Infinitivo

Está Me parece	(muy) bien/mal	que + Presente de Subjuntivo Infinitivo

- *Es una vergüenza que haya hambre en el mundo.*
- *Sí, me parece horrible.*

- *No me parece lógico tener que trabajar tanto.*

CUANDO + SUBJUNTIVO

- Se acabará el terrorismo **cuando** los políticos de todo el mundo **dialoguen** y **adopten** decisiones comunes.

PROPONER SOLUCIONES Y REIVINDICAR

- El gobierno **debería** bajar los impuestos.
- **Deberíamos** tener leyes para evitar estos delitos.

- **Se debería** aprobar una ley contra la violencia doméstica.
- **Se deberían** prohibir las corridas de toros.

- **Habría que** prohibir las corridas de toros.

5. NOTICIAS

Lee estos titulares de periódico imaginarios. ¿Qué opinas? Coméntalos con tu compañero como si se hubieran publicado hoy.

1 SE PROHÍBEN LOS SÍMBOLOS RELIGIOSOS EN LAS ESCUELAS PÚBLICAS

2 A PARTIR DE MAÑANA SE PROHÍBEN LAS CORRIDAS DE TOROS Y LA CAZA

3 EL GOBIERNO ELIMINA VARIOS IMPUESTOS A LAS PAREJAS CON HIJOS

4 ENTRA EN VIGOR LA NUEVA LEY QUE PERMITE FUMAR EN LUGARES PÚBLICOS

5 NUEVA "ECOTASA": LOS TURISTAS DEBERÁN PAGAR 10 EUROS PARA ENTRAR EN ESPAÑA

6 LOS PAÍSES PRODUCTORES ACUERDAN SUBIR EL PRECIO DEL CAFÉ PARA POTENCIAR SU DESARROLLO

7 SE PROHÍBE LA VENTA DE ALCOHOL A MENORES DE 21 AÑOS

8 DESDE HOY LOS CIUDADANOS DE TODO EL MUNDO PUEDEN ENTRAR EN CUALQUIER OTRO PAÍS SIN PASAPORTE

- Me parece fantástico que se prohíban las corridas de toros. Son algo salvaje y cruel…
- Sí, a mí también me parece estupendo. Son horribles.

6. ¿QUIÉN QUIERE QUE EL PROFESOR…?

Busca en la clase a algún compañero que responda afirmativamente a las siguientes preguntas.

Quiere qué el profesor...	nombre
1. le corrija más	
2. explique más gramática	
3. sea menos exigente	
4. ponga más deberes	
5. escriba más cosas en la pizarra	
6. hable más despacio	
7. pregunte más cosas	
8. ponga más canciones en clase	

- ¿Quieres que el profesor te corrija más?
- No, yo creo que nos corrige lo suficiente.

7. TRES DESEOS

A. Imagina que tu hada madrina te concede tres deseos. Escríbelos en un papel y, luego, entrégaselo a tu profesor.

- Quiero hablar español perfectamente.
- Quiero que la gente viva por lo menos 100 años.
- Quiero que se acaben las guerras.

B. Tu profesor va a leer los deseos de tus compañeros. ¿Sabes quién los ha escrito? Luego, entre todos, decidid si son realizables o no.

- "Quiero que se acaben las guerras."
- Eso lo ha escrito Tony.
- ¡Muy bien!
- A mí me parece imposible que vivamos en paz. Creo que siempre habrá guerras.
- Pues yo creo que…

C. ¿Cuándo crees que se podrán cumplir tus deseos? Exprésalo usando **cuando** + Subjuntivo.

8. CARTA AL DIRECTOR

A. La redacción de un periódico local ha recibido este correo electrónico. Léelo. ¿Crees que Carlos Pardo tiene razón? ¿Cómo crees que debería actuar el Ayuntamiento?

● Yo creo que el Ayuntamiento debería...

B. En grupos de tres, decidid qué problemas creéis que tiene la ciudad en la que estáis. ¿Qué soluciones proponéis? Explicádselo a vuestros compañeros.

● Pensamos que uno de los problemas de esta ciudad es la contaminación. Creemos que habría que promocionar el transporte público y el Ayuntamiento debería crear...

no puedo dormir

Vivo en el centro histórico, al lado de la Catedral, concretamente en la calle Mayor. Como seguramente saben, en esta calle se encuentran numerosos bares nocturnos y discotecas. Tengo la mala suerte de vivir en un primer piso y llevo ya varios años durmiendo mal por culpa del ruido.

Los vecinos nos hemos quejado repetidas veces al Ayuntamiento, pero hasta el momento no se ha tomado ninguna medida. Los bares continúan abiertos todos los días hasta las 4 de la madrugada y, después, cuando cierran, la fiesta sigue en la calle.

¿Es que nadie va a hacer nada al respecto? ¿Tendremos que irnos a vivir a otro sitio para poder dormir tranquilamente?

Carlos Pardo

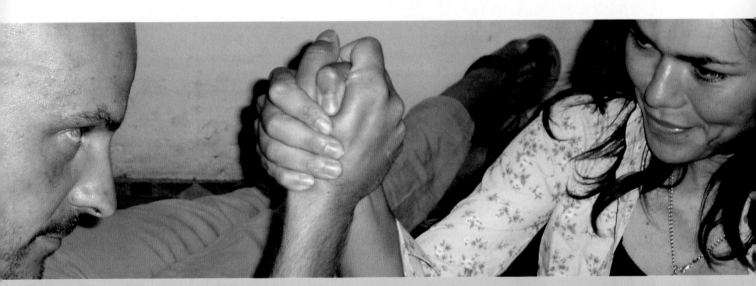

9. HOMBRES Y MUJERES

A. Dividid la clase en dos grupos. Cada grupo tiene que reflexionar sobre si hay igualdad entre hombres y mujeres en la sociedad actual. ¿En qué ámbitos pensáis que se dan situaciones injustas? Escribid algunos ejemplos.

EN LA ESCUELA

EN EL TRABAJO

EN CASA

EN LA POLÍTICA

B. Poneos de acuerdo y decidid cuáles son las cuatro principales injusticias. Luego, escribidlo.

A nosotros nos parece injusto que...

C. Imaginemos que hoy es el Día Internacional de la Mujer, y que vosotros pertenecéis a un colectivo para la igualdad entre hombres y mujeres. Escribid vuestro manifiesto y preparad una pancarta.

Nuestro manifiesto consta de cuatro puntos. En primer lugar, pensamos que en el trabajo existe una gran diferencia entre los sueldos de los hombres y los de las mujeres, y por eso queremos que cambien algunas leyes. Según nuestro punto de vista, el Gobierno debería...

D. Ahora, leed el manifiesto a vuestros compañeros.

10. ESPAÑA EN DEMOCRACIA

A. ¿Qué sabes sobre la historia reciente de España? Coméntalo con tus compañeros.

● Ahora hay un gobierno…

B. Ahora, lee y comprueba.

1975-1981 / Los años de transición

20 de noviembre. Muere Francisco Franco.

22 de noviembre de 1975. Juan Carlos de Borbón es coronado rey de España.

15 de diciembre de 1976. Gana el sí en el referéndum sobre la Ley de Reforma Política, que abre el camino hacia una transición a la democracia.

15 de junio de 1977. Primeras elecciones generales libres en 41 años. Gana la Unión de Centro Democrático (UCD) de Adolfo Suárez.

6 de diciembre de 1978. Por referéndum se aprueba la Constitución.

1 de marzo de 1979. La UCD de Adolfo Suárez vuelve a ganar las elecciones generales.

23 de febrero de 1981. Intento fallido de golpe de Estado.

1982-1995 / De Felipe González a Europa

28 de octubre de 1982. El Partido Socialista Obrero Español (PSOE) gana las elecciones generales. Felipe González es investido nuevo presidente del gobierno.

1 de enero de 1986. España y Portugal se convierten en miembros de la Comunidad Europea.

12 de marzo de 1986. Se aprueba por referéndum la integración de España en la OTAN.

1992. Se celebran la Exposición Universal en Sevilla y los Juegos Olímpicos de Barcelona.

1996-marzo 2004 / El gobierno del PP

3 de marzo de 1996. El Partido Popular (PP) de José María Aznar gana las elecciones.

12 de marzo de 2000. El PP vuelve a ganar las elecciones generales, esta vez por mayoría absoluta.

2003. A pesar de las numerosas manifestaciones ciudadanas, el gobierno de España apoya a Estados Unidos en la invasión de Irak.

11 de marzo de 2004. Más de 200 muertos en un terrible atentado a cuatro trenes de cercanías en Madrid.

Marzo 2004 / El gobierno del PSOE

14 de marzo de 2004. El PSOE gana las elecciones. Su líder, José Luis Rodríguez Zapatero, se convierte en presidente del gobierno.

21 de mayo de 2004. Se completa la retirada de las tropas españolas en Irak.

20 de febrero de 2005. España vota "sí" en el referéndum sobre la Constitución Europea.

30 de junio de 2005. El Congreso aprueba la ley que permite contraer matrimonio a

4
TENEMOS
QUE HABLAR

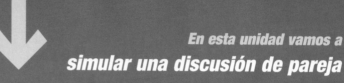

En esta unidad vamos a
simular una discusión de pareja

Para ello vamos a aprender:
> *a expresar intereses y sentimientos*
> *a hablar de las relaciones entre las personas*
> *a mostrar desacuerdo en diversos registros*
> *a suavizar una expresión de desacuerdo*
> *a contraargumentar*

1. ADOLESCENTES

A. Aquí tienes las fotografías de las habitaciones de dos adolescentes españoles: la de un chico y la de una chica. ¿De quién crees que es cada una? ¿Por qué? Escríbelo y, luego, coméntalo con tus compañeros.

B. Ahora, lee este texto sobre los adolescentes españoles. En parejas, proponed un posible título.

La adolescencia no llega a la misma edad a los niños y a las niñas. Actualmente, las niñas españolas entran en esta etapa entre los 9 y los 11 años, mientras que sus compañeros varones, en general, siguen siendo niños y haciendo cosas de niños hasta los 12 ó 13 años.

Con la adolescencia cambian los gustos y las preferencias; las niñas empiezan a preocuparse por su aspecto físico, por la ropa y por la moda en general. Les encanta ir de compras con sus amigas y, a menudo, se quedan a dormir en casa de alguna de ellas para pasar la noche probándose ropa o maquillándose.

También comienzan a interesarse por los chicos, especialmente por los que son mayores que ellas, y a querer salir hasta tarde. Sus ídolos son las estrellas del cine y de la música y, en general, hace ya tiempo que no les interesan sus muñecas. Su nuevo juguete preferido es el teléfono móvil, y se comunican con las amigas y con los amigos a través de mensajes SMS y de chats.

Los cambios en los intereses de las chicas adolescentes provocan frecuentemente los primeros conflictos; en muchos casos, la escuela, los exámenes y las notas les preocupan menos que salir con sus amigas y divertirse. Por eso, a veces, los resultados escolares empeoran y el colegio les aburre tanto que hacen cualquier cosa para no estudiar. Y aquí empiezan, lógicamente, los primeros conflictos con los padres.

Estos cambios afectan también a los chicos, pero suelen llegar un poco más tarde. A los chicos adolescentes les interesan los deportes y los juegos de ordenador y sus ídolos son, en general, futbolistas y otros deportistas famosos. Normalmente solo se relacionan con otros chicos, y las chicas les producen sentimientos contradictorios, incluso de rechazo en algunos casos.

C. ¿Estás de acuerdo con lo que dice el texto? ¿Cómo fue tu adolescencia? ¿Te sientes reflejado? Cuéntaselo a la clase.

• Yo, cuando tenía 12 años, empecé a tener malas notas en el cole. Discutía mucho con mis padres y...

2. EL DIARIO DE VERO

A. Vero es una adolescente española de 13 años. Aquí tienes algunos fragmentos de su diario. ¿Cuáles de las cosas que dice Vero te parecen típicas en una chica de su edad? ¿Cuáles te parecen menos normales? Coméntalo con tus compañeros.

Hoy me han dado la nota de Matemáticas. He sacado un 5. ¡Uf! Casi suspendo… La verdad es que las mates de este año son superdifíciles y el profe es un rollo. ME ABURRO como una ostra en sus clases. En cambio, he sacado un 9,5 de media en Ciencias Naturales, ¡la mejor nota de la clase! La profe me ha puesto un 10 en el trabajo que hice sobre el reciclaje y en el examen he sacado un 9. No está mal.

Mis padres están contentos porque lo he aprobado todo. Pero mi madre dice que, si quiero ser bióloga, también tengo que estudiar matemáticas porque son muy importantes para los científicos. No sé. Yo, en realidad, lo que quiero es ser de Greenpeace, viajar por todo el mundo en sus barcos y salvar a las ballenas y a todos los animales que están en peligro de extinción. Seguro que es superguay. Como premio por mis notas, mis padres me han dado 20 euros para recargar el móvil: así podré volver a enviar mensajes. Esta semana no he podido llamar ni enviar mensajes y ha sido horrible. Por suerte, cuando llegaba a casa después del cole, podía chatear con mis amigas.

Hoy he ido a patinar con Marta y con Lara y, luego, hemos ido de compras. Mi madre me había dado 80 euros y me he comprado un montón de cosas: una colonia, una crema contra el acné, dos "tops" y dos CD de música clásica. Marta es genial. Tenemos los mismos gustos y lo pasamos muy bien juntas. Además, usamos la misma talla y nos podemos intercambiar ropa. Me encanta que me invite a su casa a cenar y a dormir. Nos pasamos la noche hablando de nuestras cosas y probándonos ropa. ¡Es genial! En cambio a Lara no la aguanto. Lara es la prima de Marta y, por eso, muchas veces tenemos que quedar con ella. Pero es que es muy mandona y estoy harta de que siempre hagamos lo que ella quiere. Yo la llamo "Larita" porque sé que le molesta que la llamen así. Je, je…

Durante la comida, mis padres han vuelto a discutir sobre mis vacaciones. ¡Son unos pesados! Estoy cansada de que nunca estén de acuerdo. A mi padre le parece bien que me vaya de vacaciones con Marta y sus padres a Mallorca, pero a mi madre le da vergüenza que pase dos semanas en casa de otra familia. ¿PERO POR QUÉ? ¡¡Si Marta y yo somos como hermanas!! Además, ellos van a trabajar durante todo el mes de agosto y todas mis amigas se van fuera. No quiero quedarme sola aquí como el año pasado, mientras todas mis amigas están en la playa. Además, en Mallorca estará Álvaro, el primo de Marta… ¡Y ES TAN GUAPO!

Bueno, ahora, querido diario, te dejo. Me voy a clase de kárate. ¡Hasta mañana!

- A mí me parece una niña muy normal, ¿no? Le aburren las matemáticas, empieza a tener problemas con sus padres por las vacaciones…
○ Sí, pero, en cambio…

B. ¿Qué otras cosas puedes decir sobre ella: sus gustos, sus amistades, etc.? Escríbelo.

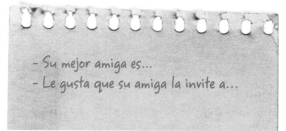

- Su mejor amiga es…
- Le gusta que su amiga la invite a…

3. ODIO MENTIR A MIS AMIGOS

A. ¿Cuáles de las siguientes opiniones compartes? Puedes señalar varias sobre cada tema.

- ☐ **Me encanta** hacer regalos. Soy muy detallista.
- ☐ **No me gusta nada** tener que hacer regalos en Navidad.
- ☐ **No me importa que** se olviden de mi cumpleaños. Yo no recuerdo casi ninguno.

- ☐ **Estoy harto/a de** las relaciones superficiales.
- ☐ **No me interesa** hacer nuevas amistades; ya tengo bastantes amigos.
- ☐ **Me apasiona** conocer gente nueva.

- ☐ **Me horrorizan** las personas demasiado sinceras.
- ☐ **Odio** mentir a mis amigos. Nunca lo hago.
- ☐ **Me sienta fatal** que un amigo me mienta. Eso no lo perdono.

- ☐ **Me encantan** las fiestas grandes, con mucha gente.
- ☐ **No me interesa** que me inviten a una fiesta si no conozco a nadie.
- ☐ **Me da pereza** hacer fiestas en mi casa.

- ☐ **No soporto** los viajes con grupos grandes de amigos.
- ☐ **Me da miedo** viajar solo/a.
- ☐ **Me da mucha rabia** que mis amigos se vayan de vacaciones y que no me pregunten si quiero ir con ellos.

- ☐ **Me pone nervioso/a** que alguien de otro país critique el mío.
- ☐ **Me molesta** la gente que no acepta opiniones y costumbres distintas a las suyas.
- ☐ **Me fascina** conocer a personas de otras culturas.

B. Compara tus respuestas con las de un compañero. ¿Coincidís en muchas cosas? Coméntaselo a los demás.

> • Tom y yo tenemos bastantes cosas en común: a los dos nos encantan las fiestas y no soportamos...

C. Fíjate en las estructuras que están en negrita en las frases anteriores y colócalas en el lugar correspondiente.

verbo + sustantivo	verbo + Infinitivo	verbo + **que** + Subjuntivo

D. Ahora, escribe cinco frases en las que expreses los sentimientos que te provocan otras situaciones u otras actitudes en el ámbito de las relaciones de amistad o familiares. Intenta usar las tres estructuras anteriores.

4. ¿ESTÁ ENFADADO?

A. Lee estas conversaciones que mantiene César con varias personas. En todas muestra desacuerdo con lo que le dicen. ¿Cómo lo hace? Subraya y observa cómo funcionan los recursos que usa. Luego, completa la última conversación.

1 En la tienda

- Lo siento, pero tenía un mes para poder cambiar el producto. Ahora ya no aceptamos devoluciones.
- ○ ¿Cómo? ¿Que solo tenía un mes? ¡No puede ser!

2 Con su mujer

- Mira, César, estoy cansada de hacerlo yo todo en casa. ¡Es que últimamente no haces nada!
- ○ ¿Que no hago nada? ¡Eso no es verdad! Te preparo el desayuno todos los días y siempre friego los platos.

3 Con su jefe

- Me han dicho que últimamente está llegando tarde.
- ○ Bueno, eso no es del todo cierto. La semana pasada tuve que llegar tarde dos días, pero porque tenía a mi mujer en el hospital. Ya se lo comenté al jefe de Personal.

4 Con su médico

- ¡Vaya! Veo que ha engordado...
- ○ ¿Engordado? No, yo diría que no. Estoy en mi peso de siempre, creo.

5 Con su hijo

- Papá, ¿te pasa algo? Estás muy raro.
- ○ ....

B. Imagina que el profesor os dice: **"No participáis suficientemente en clase"**. ¿Cuántas maneras diferentes se os ocurren de expresar desacuerdo? Decidlas en voz alta prestando especial atención a la entonación.

EXPRESAR INTERESES Y SENTIMIENTOS

La mayoría de verbos o expresiones que, como **encantar**, sirven para expresar intereses, sentimientos o sensaciones, pueden funcionar con estas estructuras.

Me encanta	mi trabajo	(+ SUSTANTIVO SINGULAR)
Me encantan	los gatos	(+ SUSTANTIVO PLURAL)
Me encanta	vivir aquí	(+ INFINITIVO)
Me encanta	que me regalen flores*	(+ **QUE** + SUBJUNTIVO)

* El sujeto del verbo en Subjuntivo no es el mismo que la persona que experimenta la sensación.

Todos los siguientes verbos funcionan de la misma manera que **encantar**: **molestar, interesar, apasionar, importar, gustar, fascinar, entusiasmar, horrorizar, irritar, sentar bien/mal, poner nervioso/triste..., hacer ilusión/gracia..., dar miedo/pereza...**

Con todos ellos es necesario usar los pronombres personales **me/te/le/nos/os/les.** Hay que tener en cuenta que el sujeto del verbo es la cosa o acción que produce el sentimiento.

	SUJETO
Me fascina	**la gente original.**
Me fascina**n**	**las personas originales.**
Me fascina	**conocer gente diferente.**
Me fascina	**que me presenten gente original.**

Con los verbos **odiar, (no) soportar, (no) aguantar, adorar, estar cansado/harto de...**, etc., el sujeto es la persona que experimenta la sensación.

> Muchos de estos verbos no aceptan gradativos porque ya tienen un significado intensificado:
>
> me encanta ~~mucho~~, me apasiona ~~mucho~~, adoro ~~mucho~~, odio ~~mucho~~, no soporto ~~mucho~~

MOSTRAR DESACUERDO

Una manera de expresar desacuerdo es repetir, en forma de pregunta, lo que ha dicho nuestro interlocutor. Este recurso sirve para mostrar sorpresa, incredulidad o indignación y, a la vez, nos permite ganar tiempo antes de responder.

- Silvia, ayer no apagaste las luces al salir...
- **¿Que no apagué las luces al salir?**

También podemos retomar, en forma de pregunta, solo una parte del enunciado.

- Fran, estás un poco distraído, ¿no?
- **¿Distraído?** Ay, no sé...

En general, las preguntas con **qué** y con **cómo** expresan rechazo a lo que nos acaban de decir.

- No sé qué te pasa, pero estás de muy mal humor.
- **¿Cómo?/¿Qué?** Y ahora me dirás que tú estás de muy buen humor, ¿no?

En un registro coloquial, algunas fórmulas sirven para expresar un rechazo casi total.

- Sandra, creo que tu actitud no ha sido muy correcta.
- **¡(Pero) qué dices!** Me he comportado perfectamente.

- Has suspendido el examen; tendrás que repetir curso.
- **¡Anda ya!** No me lo creo.

Otras expresiones coloquiales sirven para responder de manera negativa a una pregunta o a una afirmación.

- ¿Has estado en la playa? Tienes buen color.
- **¡Qué va!** He estado todo el fin de semana en casa.

SUAVIZAR UNA EXPRESIÓN DE DESACUERDO

En español, es habitual usar diferentes recursos para suavizar nuestro desacuerdo. En general, estos recursos presentan nuestra opinión como algo "personal y subjetivo" y no como afirmaciones absolutas.

- Alba, me parece que tu comportamiento no es adecuado.
- **Yo no diría eso.**

- Creo que no nos han dado la subvención porque no somos lo suficientemente conocidos.
- **A mi modo de ver**, ese no es el problema. **Lo que pasa es que**...

- En general, Oswaldo no hace bien su trabajo.
- **Hombre, yo no estoy del todo de acuerdo con** eso.

CONTRAARGUMENTAR

Para introducir un argumento contrario a lo que acabamos de oír, usamos **pues** o, para mostrar nuestra sorpresa, **pero si**.

- Los informes que me diste ayer no son muy completos.
- **Pues** al jefe de Ventas le han parecido perfectos.

- Ya no tienes detalles conmigo: no me llamas al trabajo...
- **¡(Pero) si** tú me prohibiste llamarte al trabajo!

5. EL JUEGO DE LA VERDAD

A. Carlos y Ana llevan un año casados. Hoy han ido a una fiesta y han jugado al "juego de la verdad": un amigo les ha hecho preguntas, por separado, sobre su vida de casados para luego comparar las respuestas. Anota qué cosas positivas y qué cosas negativas cuenta cada uno de ellos.

	Aspectos positivos	Aspectos negativos
Para Carlos...		
Para Ana...		

B. ¿Dirías que Carlos y Ana son un matrimonio feliz? Coméntalo con tus compañeros.

6. PAREJAS

A. Haz este cuestionario a tu compañero.

	SÍ	NO
• *Le gusta que su pareja le envíe flores.*	☐	☐
• *Le molesta que su pareja tenga buena relación con sus ex.*	☐	☐
• *No le importa que su pareja pase las vacaciones con sus amigos/as.*	☐	☐
• *Le gusta presentar a su pareja a sus padres.*	☐	☐
• *Le gusta que su pareja decida cosas por los dos.*	☐	☐
• *Le da vergüenza ir a casa de los padres de su pareja.*	☐	☐
• *Prefiere que su novio/a no tenga amigos/as del sexo contrario.*	☐	☐
• *Le molesta que su pareja no se acuerde de las fechas especiales.*	☐	☐
• *Le gusta que su pareja le haga regalos sorpresa.*	☐	☐
• *No le importa que su pareja no le llame durante dos o tres días seguidos.*	☐	☐
• *Prefiere vivir con su pareja un tiempo antes de casarse.*	☐	☐

B. ¿Qué te parecen sus respuestas? ¿Crees que, en sus relaciones de pareja, es una persona moderna, tradicional, tolerante, egoísta...? Cuéntaselo a tus compañeros.

● Tengo la impresión de que Amanda es bastante tradicional. Le gusta, por ejemplo, presentar a sus novios a sus padres...

7. ¡PERO QUÉ DICES!

A. La entonación sirve para marcar una determinada actitud. Vas a escuchar unas pequeñas discusiones, cada una de ellas en dos versiones diferentes. Intenta anotar, en cada caso, el grado de enfado de la persona que responde.

		NO MUY ENFADADO/A	MUY ENFADADO/A
1 ● ¡Pero Juanjo! ¡A qué hora llegas! ¡Y seguro que no has hecho los deberes! ○ **¡Que sí, mamá, no seas pesada! Los he hecho en la biblioteca.**	A		
	B		
2 ● Pablo, ya no salimos nunca: ni al cine, ni a cenar, ni a pasear... ○ **¿Que no salimos nunca? ¿No fuimos el sábado al teatro?**	A		
	B		
3 ● No te lo tomes mal, pero estás colaborando muy poco en este proyecto. ○ **¡Pero qué dices! ¡Si la semana pasada me quedé en la oficina hasta las tres de la mañana casi todos los días!**	A		
	B		

B. Ahora, vais a escuchar una serie de "acusaciones" o reproches. El profesor dirá a cuál de vosotros van dirigidas. El alumno indicado deberá reaccionar.

8. ¡BASTA DE RUIDOS!

A. ¿Qué cosas te molestan? ¿Estás harto/a de algo? Ahora es el momento de quejarse. Escribe tu protesta en la pizarra.

RELACIONADO CON LA CASA
Una cosa negativa:
- de la(s) persona(s) con la(s) que vives
- de la casa en sí

RELACIONADO CON TU CALLE, CON TU BARRIO O CON TU CIUDAD
Un aspecto negativo:
- del lugar en el que vives
- de tus vecinos

RELACIONADO CON EL TRABAJO O CON LA ESCUELA
Una cosa negativa:
- de la(s) persona(s) con la(s) que trabajas o estudias
- del mismo trabajo o de los estudios

RELACIONADO CON LA POLÍTICA O CON LA SOCIEDAD
- Una cosa negativa de tu país
- Algo que funciona mal en el mundo

B. Ahora, lee las quejas de tus compañeros y marca con una cruz aquellas con las que estés de acuerdo. Luego, comenta con tus compañeros las frases que no entiendes o las que te llaman más la atención.

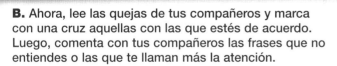

- ¿Quién ha escrito "Estoy harto de Maximilian y de sus pelos".
○ Yo.
- ¿Y quién es Maximilian?
○ Es el perro de mi compañero de piso. Es un cócker muy simpático, pero deja la casa llena de pelos...

9. TRAPOS SUCIOS

A. El matrimonio que forman Samuel y Zara está pasando por una pequeña crisis. Hay varias cosas que provocan desacuerdos, tensiones o malentendidos. En parejas, tenéis que inventar, como mínimo, un problema en cada uno de estos ámbitos.

el trabajo
(los horarios, la dedicación, el salario...)

la familia
(los padres, los cuñados, el tiempo que pasáis con ellos...)

las tareas de casa
(el reparto de tareas, el orden, la limpieza...)

los amigos
(el tiempo que pasáis con ellos, a cuáles veis más...)

las vacaciones
(dónde las pasáis, cuándo, con quién...)

otros temas

B. Hoy vais a tener una discusión de pareja; uno va a ser Zara y, el otro, Samuel. Cada uno va a pensar en las cosas que no le gustan de su relación con el otro, qué cosas tienen que cambiar, etc. Negociad qué temas vais a tratar y poneos de acuerdo sobre qué vais a decir.

C. Ahora, delante de toda la clase, vais a representar una conversación sobre vuestros problemas.

- Zara, tenemos que hablar.
○ Sí, tienes razón, tenemos que hablar.
- Creo que hay algunas cosas que no funcionan en nuestro matrimonio.
(...)
○ Mira, Samuel; estoy cansada de tener que hacerlo todo yo en casa.
- ¿Que tú lo haces todo en casa? ¡Pero qué dices!
○ Pues sí. Y, además, estoy harta de que...

10. BOLERO

A. "Contigo aprendí" es un bolero clásico, escrito por el compositor mexicano Armando Manzanero. Hemos eliminado cinco palabras de la letra. En parejas, intentad adivinar cuáles son teniendo en cuenta que riman con las palabras subrayadas. Después, escuchad la canción y comprobadlo.

Contigo aprendí

Contigo aprendí
que existen nuevas y mejores <u>emociones</u>.
Contigo aprendí
a conocer un mundo nuevo de ....

Y aprendí
que la semana tiene más de siete <u>días</u>
a hacer mayores mis contadas ....
y a ser dichoso
yo contigo lo aprendí.

Contigo aprendí
a ver la luz del otro lado de la <u>luna</u>.
Contigo aprendí
que tu presencia no la cambio por ....

Aprendí
que puede un beso
ser más dulce y más <u>profundo</u>
que puedo irme mañana mismo
de este ....
las cosas buenas
yo contigo las viví.

Contigo aprendí
que yo <u>nací</u>
el día en que te ....

B. ¿Cómo interpretas la letra de esta canción? Coméntalo con tus compañeros.

● Yo creo que es un hombre que quiere...

C. ¿Quieres saber más sobre el bolero? Lee este texto.

No se puede entender la música en español sin conocer el bolero, tal vez el más universal de los géneros musicales latinos. La historia del bolero comienza a finales del siglo XIX en Cuba, como un heredero del bolero español, pero con sus propias características musicales. Entre los primeros grandes maestros, hay que destacar, entre otros, a los compositores cubanos Nilo Menéndez, Gonzalo Roig y Ernesto Lecuona, al puertorriqueño Rafael Hernández y, sobre todo, al mexicano Agustín Lara.

A lo largo del siglo XX, el bolero lanzó a la fama a artistas como Los Panchos, María Dolores Pradera o Armando Manzanero, y ha atraído a numerosos músicos de otros ámbitos. Estrellas de la canción melódica como Julio Iglesias o Luis Miguel, ilustres cantantes extranjeros como Frank Sinatra y Caetano Veloso, o maestros del jazz latino como Benny Moré, por ejemplo, se han acercado al bolero en algún momento de sus carreras.

El bolero es una exaltación absoluta del amor e implica una manera de cantar y de expresarse que no tiene vergüenza del dolor, de la pasión y del desamor. El tono de sus letras, siempre apasionado y romántico, crea una intensa comunicación entre el intérprete y el oyente. Quizá eso explique por qué muchos jóvenes vuelven hoy en día al bolero.

5
DE DISEÑO

En esta unidad vamos a
diseñar un objeto que solucione
un problema de la vida cotidiana

Para ello vamos a aprender:
> *a describir las características y el funcionamiento de algo*
> *a opinar sobre objetos* > *los superlativos en -ísimo/a/os/as*
> *algunos modificadores del adjetivo:* **excesivamente, demasiado...**
> *las frases exclamativas:* **¡qué...!, ¡qué... tan/más...!**
> *las frases relativas con preposición*
> *usos del Indicativo y del Subjuntivo en frases relativas*

1. DISEÑO CONTEMPORÁNEO

A. Observa estas fotografías. ¿Qué crees que son los cinco objetos que aparecen en ellas? ¿Para qué crees que sirven? Coméntalo con tus compañeros.

- Supongo que esto sirve para ver una película mientras...
- Sí, parece una...

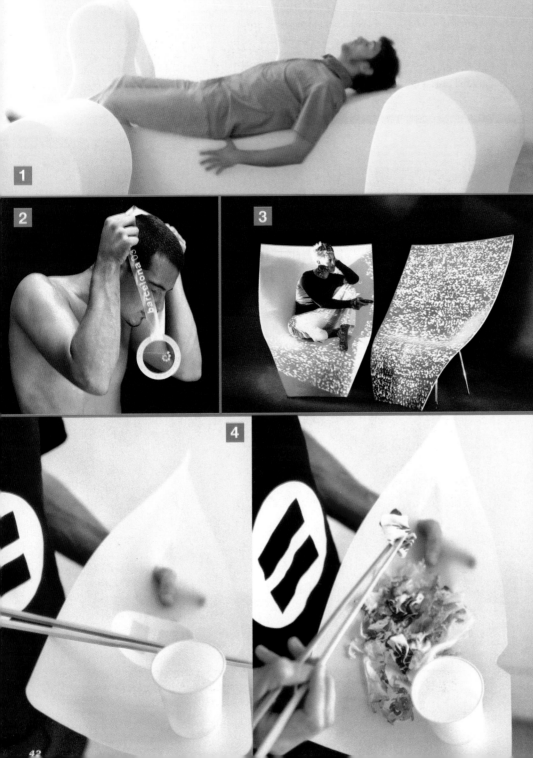

B. Ahora, lee los siguientes textos y descubre qué son los objetos de la página anterior.

1. *Get up.* Una colección de muebles con los que relajarse y jugar. Cuando no se utilizan, se ponen solos de pie y ocupan menos espacio.

2. **Medalla del Campeonato Mundial de Natación de Barcelona 2003.** Contiene agua de diferentes partes del mundo llevada por los deportistas que participaron en el evento.

3. **Sillón-pantalla.** Se trata, en realidad, de una funda que puede acoplarse a cualquier silla y que permite filmar a la gente mientras charlamos con ellos y proyectar, a continuación, las imágenes que hemos grabado.

4. **Plato universal.** Un híbrido entre plato, bandeja y paleta de pintor diseñado para poder comer de pie. Dispone de un espacio para dejar el vaso y permite tener una mano libre para comer o para saludar a la gente.

5. **Casa básica.** Fabricada en poliéster y con un peso de 220 gramos, esta mini vivienda se puede plegar hasta caber en un bolsillo pequeño. El poliéster permite que entre la luz sin que se vean los ocupantes desde el exterior. Es reversible: la cara dorada protege del frío y la plateada, del calor.

Martín Azúa. Diseñador

Establecido en Barcelona, Martín Azúa (Álava, 1965) atrajo por primera vez la atención del público con su diseño *Casa básica* (1999), un refugio portátil de 220 gramos que se pliega hasta caber en un bolsillo y que utiliza el calor corporal o solar para mantenerse inflado. El proyecto surgió como respuesta a la necesidad de proporcionar un refugio temporal a los inmigrantes recién llegados. *Casa básica* es un ejemplo típico del trabajo de Azúa, ya que en él se combinan la tecnología, la filosofía, la poesía y, muchas veces, algún ingrediente inesperado.

Martín Azúa diseña productos baratos y "democráticos" aunque con un fuerte compromiso artístico y experimental; actualmente, varios de sus diseños se producen comercialmente. Azúa cree en un futuro en

el que los diseñadores se ocupen de cuestiones nuevas y no de problemas que ya han sido resueltos. Una de sus propuestas más poéticas quizá sea el diseño de las medallas del Campeonato Mundial de Natación de Barcelona 2003. En lugar de una medalla convencional, Azúa diseñó una corona formada por dos semicírculos de cristal que contienen agua de todo el mundo llevada a Barcelona por los propios deportistas.

C. Aquí tienes una serie de opiniones sobre los diseños de Martín Azúa. ¿Con cuál o con cuáles estás de acuerdo?

1. La verdad, para mí son excesivamente modernos.

2. Me parecen alucinantes. Los encuentro superoriginales. Me gustan muchísimo.

3. Creo que son bonitos pero, francamente, algunos no los veo demasiado útiles.

4. No sé, no me acaban de convencer. Me parecen un poco raros. Pero yo no entiendo de arte...

5. Hay algún diseño que no me desagrada pero, sinceramente, hay otros que me parecen feísimos.

2. ¡QUÉ HORROR!

🔊 **A.** Vas a escuchar seis conversaciones en las que se habla de un objeto. ¿Sabes a cuál de estos se refieren en cada caso? Márcalo.

🔊 **B.** Escucha de nuevo las conversaciones. Toma notas en tu cuaderno para saber si lo valoran positiva o negativamente.

C. Ahora, imagina que quieres comprar estas cosas. ¿Cómo las pedirías en una tienda especificando alguna de sus características?

3. ¿QUÉ ES?

A. ¿Sabes a qué se refieren estas descripciones? Escríbelo.

1. ES UN MUEBLE EN <u>EL</u> QUE GUARDAS LA ROPA Y QUE NORMALMENTE TIENE PUERTAS.

2. ES UNA HERRAMIENTA CON <u>LA</u> QUE PUEDES CORTAR PAPEL, TELA, PELO...

3. SON UNAS SEMILLAS DE <u>LAS</u> QUE SE OBTIENE ACEITE.

4. SON UNOS LUGARES A <u>LOS</u> QUE VAS A VER PELÍCULAS.

5. ES ALGO CON <u>LO</u> QUE TE PEINAS.

B. Fíjate en los artículos **el/la/lo/los/las**. ¿Entre qué palabras se encuentran? ¿Sabes a qué palabra se refieren en cada caso? Subráyalas.

C. Ahora, intenta formar frases relativas a partir de los siguientes elementos.

1	A. una prenda de vestir	B. te cubres la cabeza **con** esa prenda
	Es	
2	A. un establecimiento	B. compras medicamentos **en** ese lugar
	Es	
3	A. un tema	B. todo el mundo discute **sobre** ese tema
	Es	
4	A. una universidad	B. muchos extranjeros van **a** esa universidad
	Es	

4. ¿QUE TIENE O QUE TENGA?

A. ¿Qué diferencia hay entre estas dos frases? Coméntalo con tus compañeros.

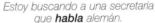

*Estoy buscando a una secretaria que **habla** alemán.*

*Estoy buscando a una secretaria que **hable** alemán.*

B. Marca la opción correcta en cada caso.

	SÍ	NO
1. ¿Sabe si existe el libro?		
A. Estoy buscando un libro que tiene fotos de Caracas.		
B. Estoy buscando un libro que tenga fotos de Caracas.		
2. ¿Sabe si existe ese programa?		
A. Quiero un programa de diseño que se pueda instalar en un ordenador portátil.		
B. Quiero un programa de diseño que se puede instalar en un ordenador portátil.		
3. ¿Sabe si venden ese pastel?		
A. Quiero un pastel que lleva chocolate y nata.		
B. Quiero un pastel que lleve chocolate y nata.		

5. ¿ES DE METAL?

Elige una de estas palabras. Luego, tu compañero te hará preguntas para adivinarla. Tú solo puedes responder **sí** o **no**.

unos calcetines	una silla	un tenedor
una lámpara	una chaqueta	una revista
un sacacorchos	un jarrón	una puerta
una llave	una camiseta	un sacapuntas

● ¿Es de metal?
○ Sí.

Es de algodón/lana/cristal/metal/madera/piel/papel/plástico...
Sirve para + Infinitivo
Se usa para + Infinitivo

FRASES RELATIVAS

Las frases relativas sirven para añadir información sobre un sustantivo o para determinarlo.

- Este anillo, que perteneció a mi abuela, es de oro blanco.
- Esta es la bicicleta que me compré ayer.

CON INDICATIVO O CON SUBJUNTIVO

Utilizamos el Indicativo cuando nos referimos a algo que sabemos que existe.

- Hola... Quería ver una cámara que **cuesta** unos 300 €. Me la enseñó usted ayer.

  (Sabe que la tienen y que cuesta 300 euros)

Usamos el Subjuntivo cuando nos referimos a algo cuya existencia e identidad concreta desconocemos.

- Hola... Quería ver una cámara que **cueste** unos 300 €.

  (No sabe si tienen cámaras de ese precio)

CON PREPOSICIÓN

Cuando las frases relativas llevan preposición, el artículo (**el/la/lo/los/las**), que va situado entre la preposición y el pronombre **que**, concuerda en género y en número con la palabra a la que se refiere.

- Este es el coche en **el** que fuimos a Cartagena.
- ¿Es esta la llave con **la** que cerraste la puerta?
- Necesito algo con **lo** que pueda abrir esta lata.
- Los hoteles en **los** que se alojaron los atletas son estos.
- Allí están las chicas de **las** que te hablé.

> Cuando nos referimos a lugares, podemos usar **donde** en lugar de **en el/la/los/las que**. Cuando nos referimos a personas, podemos usar preposición + **quien/quienes** en lugar de preposición + **el/la/los/las que.**
>
> Esta es la casa **en la que** nací. = Esta es la casa **donde** nací.
> Esa es la chica **con la que** fui a la fiesta. = Esa es la chica **con quien** fui a la fiesta.

HABLAR DEL FUNCIONAMIENTO Y DE LAS CARACTERÍSTICAS

- **Sirve para** lavar las verduras.
- **Se usa para** cubrirse las orejas cuando hace mucho frío.
- **Es fácil/difícil de** usar...
- **Va/Funciona** genial/(muy) bien/(muy) mal/fatal...
- **Va/Funciona con** pilas/electricidad/gas/energía solar...
- **(No) Se arruga/estropea/rompe**...
- **(No) Pasa de moda.**
- **Consume** mucho/bastante/poco.
- **Lo/la/los/las usas** cuando llueve.

- **Ocupa** mucho/bastante/poco (espacio).
- **Cabe en** cualquier sitio.
- **Caben** muchas/bastantes/pocas cosas **dentro**.
- **Dura** mucho/bastante/poco (tiempo).

VALORAR

- (Yo) **Lo encuentro** muy bonit**o**.
- (Yo) **La encuentro** muy bonit**a**.
- (Yo) **Los encuentro** muy bonit**os**.
- (Yo) **Las encuentro** muy bonit**as**.

- (A mí) **Me parece/n** muy bonit**o/a/os/as**.

VALORACIONES NEGATIVAS

- (A mí) **No me desagrada, pero** yo no lo compraría.
- **No está mal, pero** no es lo que estoy buscando.
- (A mí) **No me convence. / No me acaba de convencer.**
- **La verdad, para mí es excesivamente** moderno.
- (Creo que) es bonito **pero, francamente/sinceramente,** no le veo ninguna utilidad.

FRASES EXCLAMATIVAS

- **¡Qué** horror/maravilla...!
- **¡Qué** (vestido **tan**) bonito! = **¡Qué** (vestido **más**) bonito!

SUPERLATIVOS Y OTROS GRADATIVOS

feo	caro	rico	rápido
muy feo	muy caro	muy rico	muy rápido
feísimo	carísimo	riquísimo*	rapidísimo

* A veces hay cambios ortográficos: ri**c**o – ri**qu**ísimo.

Para intensificar un adjetivo, en lengua coloquial, solemos usar el prefijo **super**.

- Es un aparato **super**práctico.

Con adjetivos que expresan una gran intensidad, no usamos el adverbio **muy**, ni el sufijo **-ísimo**, ni el prefijo **super-**. Usamos, en su lugar, **realmente** o **verdaderamente**.

- Es **realmente/verdaderamente** fantástico/horrible...

Otros gradativos:

- Es **demasiado/excesivamente** llamativo.
- Es (**muy**) **poco*** práctico.
- Es **un poco**** caro. (= Es caro)
- **No** es **nada** interesante.

* Recuerda que **poco** solo se usa con adjetivos de significado positivo.
** Recuerda que **un poco** solo se usa con adjetivos de significado negativo.

6. ¿PUEDES USARLO EN LA COCINA?

A. Piensa en un objeto que tenga especial importancia en tu vida cotidiana. Luego, intenta responder mentalmente a las siguientes preguntas.

¿Es útil?
¿Es caro?
¿Para qué sirve?
¿Se arruga?
¿Se estropea?
¿Se rompe?
¿Funciona con pilas/electricidad...?
¿Pasa de moda?
¿Es fácil de usar?
¿Dura mucho tiempo?
¿Ocupa mucho espacio?
¿Puedes usarlo en la cocina/el salón...?
¿Lo puedes llevar encima?
¿Consume mucho?

B. Ahora, tu compañero te va a hacer preguntas para adivinar en qué objeto has pensado.

● ¿Lo puedes usar en la cocina?
○ No.
● ¿Sirve para...?

7. ¿TIENES...?

A. En parejas, buscad a un compañero que tenga alguna de estas cosas. Gana la pareja que consiga más.

Alumno A
- ALGO QUE SIRVA PARA PROTEGERSE DE LA LLUVIA
- UNA COSA QUE SE ROMPA FÁCILMENTE
- UN OBJETO QUE SIRVA PARA MIRARSE
- UNA PRENDA DE VESTIR QUE SEA DE LANA
- ALGO QUE ESTÉ DE MODA

Alumno B
- UN OBJETO QUE SIRVA PARA APAGAR UN FUEGO
- UNA PRENDA DE VESTIR QUE SE PONGA EN LA CABEZA
- UN APARATO QUE FUNCIONE CON PILAS
- UN COSA QUE SE ARRUGUE MUCHO
- ALGO QUE QUEPA EN UN BOLSILLO Y QUE SEA DE MADERA

● ¿Tienes algo que sirva para protegerse de la lluvia?
○ No, lo siento.

B. Ahora, presentad al resto de la clase los objetos que habéis obtenido y convencedlos de que realmente tienen esa utilidad o esas características.

8. ESTÁ DE MODA

A. Mira estos diseños de ropa. ¿Qué te parecen? Coméntalo con un compañero. ¿Tenéis los mismos gustos? Informad al resto de la clase.

● A mí estos pantalones me parecen demasiado llamativos. No me los pondría nunca.
○ Pues a mí me encantan, me parecen supermodernos.

9. CON DETALLE

En grupos de tres, intentad describir un objeto con el máximo de detalle posible, contemplando todas sus características, propiedades, utilidades, etc. Gana el grupo que consiga describir su objeto con más precisión.

● Es una cosa con la que puedes escribir. Es de plástico y puede ser de varios colores. Es muy útil. Ocupa poco espacio y…
○ ¡Un bolígrafo!

10. DISEÑO DE ENCARGO

A. En parejas, imaginad que el Departamento de Investigación y Desarrollo de una empresa os ofrece la posibilidad de crear el producto que queráis, sin límites de ningún tipo. Puede ser un objeto, una prenda de vestir, un local comercial, etc. Decidid entre los dos qué vais a crear, para qué sirve y cómo es.

B. Ahora, explicádselo a vuestros compañeros. ¿Cuál es la idea más original?

● Nosotros vamos a crear una pastilla que sirva para tener más memoria y con la que podamos aprender español en una semana.

B. Responde a este cuestionario sobre la ropa y la moda.

1. ¿Cuál es tu color favorito?
2. ¿Sabes cuáles son los colores de moda de esta temporada?
3. ¿Usas ropa de marca?
4. ¿Cuál es tu marca favorita?
5. ¿Crees que la manera de vestir de una persona refleja su personalidad?
6. ¿Cuánto tiempo sueles tardar en vestirte?
7. ¿Guardas alguna prenda de vestir desde hace muchos años? ¿La usas?
8. ¿Te gusta llamar la atención con la ropa?
9. ¿Gastas mucho dinero en ropa?
10. En español se dice que "para presumir hay que sufrir". ¿Estás de acuerdo?

C. Ahora, comenta el cuestionario con tu compañero. Luego, piensa qué prenda de vestir le regalarías para su cumpleaños y descríbela con detalle.

● A Boris le regalaría…

11. SOLUCIONES PARA TODOS

A. Estas cuatro personas tienen algunos problemas prácticos en su vida cotidiana. Lee sus testimonios. ¿Te pasa a ti algo parecido? ¿Tienes otros problemas? Coméntalo con tus compañeros.

A mí me encanta el jazz. Escucho jazz desde que me levanto hasta que me acuesto. En casa tengo más de 2000 CD y, cada semana, compro alguno nuevo. Los tengo clasificados por orden alfabético pero, aun así, a menudo, pierdo mucho tiempo buscando.

Yo tengo muy poca memoria y siempre pierdo cosas. Las llaves de mi casa, por ejemplo, las pierdo cada dos por tres. Hasta ahora no era un gran problema porque mis vecinos y mis amigos tenían un copia y siempre estaban cerca para echarme una mano. Pero acabo de trasladarme a un pueblo donde no conozco a nadie y no sé qué hacer.

El mes que viene voy a abrir una tienda de aparatos electrónicos en el centro. El diseño del interior de la tienda es muy moderno, como de ciencia ficción. Lo que no tengo claro es cómo va a ser el uniforme de los vendedores y de los técnicos. Solo sé que quiero que sea muy moderno también, especial, sorprendente…

Yo, cuando duermo, no soporto escuchar ningún tipo de ruido, así que siempre me pongo tapones. El problema es que, por la mañana, nunca oigo el despertador y siempre llego tarde al trabajo.

● Yo también tengo problemas para encontrar los CD. Tengo un montón y nunca encuentro el que quiero.
○ Pues a mí me pasa lo mismo, pero con los libros. Tengo la casa llena de estanterías con libros y…

B. En parejas, decidid qué problema queréis resolver (uno de los cuatro anteriores o uno de los planteados por los compañeros de clase) y diseñad un objeto o un aparato que lo solucione. ¿Cómo se llama? ¿Cómo es? ¿Para qué sirve? ¿A quién va dirigido? ¿Podéis dibujarlo?

C. Ahora, presentad vuestro proyecto a la clase. ¿Cuál es el diseño más útil?

● Nuestra propuesta se llama… Es un aparato con el que se puede…

12. DE BALENCIAGA A CUSTO

A. Lee el siguiente texto sobre la historia de la moda en España. Luego, observa las imágenes y decide de quién es cada diseño: ¿de Balenciaga, de Adolfo Domínguez o de Custo Barcelona?

MODA ESPAÑOLA

El reconocimiento internacional de la moda española tiene como punto de partida la obra del modisto guipuzcoano Cristóbal Balenciaga. Nacido en la pequeña localidad de Guetaria en 1895, comenzó su carrera profesional en San Sebastián, pero pronto se trasladó a París. En la capital gala, Balenciaga triunfó por todo lo alto. Entre sus clientes se encontraban Grace Kelly, Elizabeth Taylor o Marlene Dietrich. Balenciaga fue fiel a su inspiración española y reflejó en sus creaciones el dramatismo, la religión y la estética de su país; una lealtad a su tierra que supo combinar perfectamente con la influencia parisina.

Mientras Balenciaga capitaneaba la moda internacional desde París, en Madrid y en Barcelona se fue creando poco a poco una alta costura de gran calidad. Uno de los diseñadores más destacados de esta época es Manuel Pertegaz, que abrió su primera tienda en 1948 en Madrid para, a continuación, iniciar un periodo de expansión en el extranjero. En los años sesenta, Pertegaz fue el rey indiscutible de la moda española. Sus vestidos se exportaron a todo el mundo, y sus desfiles en España se llenaban de las damas más distinguidas de la época.

A finales de la década de los setenta se produjo una gran revolución en la moda. La alta costura fue poco a poco desplazada por el prêt-à-porter, y el fenómeno de la marca, seña de identidad de los jóvenes diseñadores de la época, se expandió como la pólvora. En España, Jesús del Pozo, Adolfo Domínguez, Purificación García, Sybila, Antonio Miró, Francis Montesinos, Roberto Verino, Pedro del Hierro y un largo etcétera abrieron el camino para las nuevas promesas que empezaron a adquirir fama a partir de los años ochenta. La forma de presentar las colecciones también sufrió una profunda transformación. De los íntimos salones se pasó a convocatorias multitudinarias como la Pasarela Gaudí en Barcelona y la Pasarela Cibeles en Madrid.

En la actualidad, la moda española es una industria potente que da empleo a más de 500 000 personas. Los excelentes resultados de algunas marcas españolas, como Mango, Camper o Adolfo Domínguez (con una propuesta sobria, elegante y moderna a la vez), ha situado a España en los primeros puestos del *ranking* internacional de la moda. Pero la auténtica revolución en el panorama español de la moda la puso en marcha el gallego Amancio Ortega al crear Inditex, grupo que engloba, entre otras, las marcas Zara, Massimo Dutti, Pull and Bear, Bershka y Stradivarius. La característica más innovadora del grupo es haber creado un sistema de producción y distribución que permite una respuesta inmediata a los gustos y necesidades del consumidor. Otra referencia indiscutible es Custo Barcelona, que se ha convertido en una marca de referencia en todo el mundo gracias a su estilo original, innovador y colorista, dirigido a un público joven y urbano. Curiosamente, esta firma consigue el 85% de su facturación en mercados internacionales.

B. ¿Tienes alguna prenda de vestir de alguna marca española?

C. ¿Qué te parece la forma de vestir de los españoles? Coméntalo con tus compañeros.

6
MISTERIOS Y ENIGMAS

En esta unidad vamos a
organizar un debate entre esotéricos y científicos

Para ello vamos a aprender:
> a hacer hipótesis y conjeturas > a relatar sucesos misteriosos
> algunos usos del Futuro Simple y del Futuro Compuesto
> construcciones en Indicativo y en Subjuntivo para
expresar diferentes grados de seguridad
> creer/creerse

1. LAS LÍNEAS DE NAZCA

A. ¿Sabes qué son las "líneas de Nazca"? Lee este pequeño texto y, luego, comenta con tus compañeros quiénes crees que las hicieron y para qué.

En la región de Nazca, al sureste del Perú, existen, desde hace más de 1500 años, unas misteriosas líneas trazadas en el suelo. Declaradas en 1994 Patrimonio Cultural de la Humanidad por la Unesco, representan uno de los más importantes legados de las culturas preincaicas. Las más espectaculares son las que reproducen animales marinos y terrestres y figuras humanas y geométricas.

○ Yo he leído que era un sistema de escritura antigua.
○ ¿Ah, sí? Pues yo no sabía que existían.

B. Ahora, lee este texto. ¿Con cuál de las hipótesis estás más de acuerdo? Coméntalo con tus compañeros.

Las líneas de Nazca

Desde que fueron redescubiertas en 1939 (los conquistadores españoles ya las describen en sus crónicas), el enigma de las líneas de Nazca no ha dejado de intrigar a arqueólogos, matemáticos y a amantes de lo oculto. Pero, ¿qué son en realidad?

Las líneas de Nazca son rayas y figuras, trazadas sobre una llanura, que han permanecido intactas durante los años gracias a las particulares condiciones metereológicas y geológicas del lugar. Las más impresionantes son, sin duda, las que representan animales. Hay un pájaro de 300 metros de largo, un lagarto de 180, un pelícano, un cóndor y un mono de más de 100 metros, y una araña de 42 metros. También hay figuras geométricas y algunas figuras humanas.

Teniendo en cuenta que los "dibujantes" probablemente nunca pudieron observar su obra, ya que se aprecia solo desde el aire o parcialmente desde algunas colinas, la perfección del resultado es asombrosa.

Algunas hipótesis

- La primera teoría sobre el significado de estas figuras se remonta al siglo XVI. Los conquistadores españoles pensaron que las líneas eran antiguas carreteras o caminos.

- Paul Kosok, el primero en realizar una observación aérea, dijo que se trataba de rutas o caminos para procesiones rituales.

- La matemática alemana Maria Reiche pensaba que las líneas representaban un gigantesco calendario astronómico.

- El suizo Erich von Däniken afirmó que las líneas de Nazca fueron trazadas por extraterrestres para utilizarlas como pistas de aterrizaje para sus platillos volantes.

- Para los arqueólogos, el significado de estas figuras está relacionado con la importancia del agua en la cultura nazca. Según ellos, las líneas servían para canalizar el agua o para marcar corrientes de agua subterránea.

- Algunos historiadores mantienen que las líneas de Nazca representan un antiguo sistema de escritura.

- Otros estudiosos sostienen que son dibujos realizados en honor al dios de la lluvia.

Para mí la explicación más/menos lógica/convincente es la de...
Yo (no) estoy de acuerdo con la teoría de...
A mí (no) me convence la teoría de que es/son...

C. ¿Conoces o has oído hablar de otros misterios o enigmas? Coméntalo con tus compañeros.

○ En Inglaterra hay unas ruinas, en Stonehenge, muy curiosas. Dicen que servían como calendario solar.
○ Pues cerca de donde viven mis padres hay una cueva en la que dicen que...

2. EXPERIENCIAS PARANORMALES

A. A veces pasan cosas que no tienen una explicación lógica. Aquí tienes algunas. ¿Puedes pensar en otras? Completa la lista con un compañero.

Tener la sensación
de que ya hemos estado
en un lugar

Tener una premonición

Tener sueños
que se cumplen

Tener telepatía

Tener la impresión
de que ya hemos vivido algo

Oír voces extrañas

Entender una lengua
que nunca hemos oído antes

Sentir una presencia

Pensar en alguien
y encontrárselo poco después

B. Ahora, lee estos tres testimonios y relaciónalos con uno de los fenómenos de la lista anterior.

1 Recuerdo una vez que estaba sola en casa y no me encontraba bien. Estaba muy inquieta. Recuerdo que pensé: "¿Será el calor o me estaré volviendo loca?". Tenía el presentimiento de que algo no iba bien. Es difícil de explicar, pero era un malestar raro, como de estar en peligro. Sentí la necesidad de salir de casa y así lo hice. En la calle, empecé a sentirme mejor. Me fui a dar un paseo y, cuando regresé, vi que un árbol había caído sobre el techo de mi casa y la había destrozado por completo.

2 Yo hago yoga. Un día, todos los compañeros del centro en el que hago yoga fuimos a una ceremonia que hacía una líder espiritual india. La mujer no hablaba español; te tenías que acercar y ella te abrazaba y te decía unas cosas al oído, en sánscrito creo... Cuando me tocó el turno, me acerqué, ella me abrazó y me dijo unas palabras. Recuerdo que sentí mucha tranquilidad y mucha paz y que entendí perfectamente lo que me decía: "No tengas miedo, no tengas miedo". Quizá porque era eso lo que quería entender.

3 A mí me ha pasado varias veces eso de que un día, de repente, empiezas a pensar en alguien que hace tiempo que no ves, una amiga del cole, por ejemplo, y a lo largo del día hay detalles o cosas que te recuerdan a esa persona y te preguntas dónde estará, qué habrá sido de su vida, etc. Y al final, resulta que realmente te la encuentras. Quizá sea solo casualidad, pero nunca deja de sorprenderme este fenómeno.

C. Ahora, vas a escuchar a una persona relatando una historia. Toma notas. ¿Cuál de los fenómenos anteriores ilustra?

D. Aquí tienes algunas opiniones sobre este tipo de experiencias. ¿Con cuáles estás más de acuerdo? Coméntalo con tus compañeros.

YO CREO QUE, CUANDO PASAN ESTAS COSAS, SE TRATA SIMPLEMENTE DE UNA CASUALIDAD.

PUEDE QUE EXISTA UNA FORMA DE COMUNICACIÓN EXTRASENSORIAL.

LOS ANIMALES Y LOS HOMBRES TENEMOS UN SEXTO SENTIDO QUE APENAS HEMOS DESARROLLADO.

LO QUE PASA ES QUE QUIZÁ VEMOS LO QUE QUEREMOS VER.

SEGURAMENTE, DENTRO DE UNOS AÑOS ENTENDEREMOS COSAS QUE AHORA NOS PARECEN INEXPLICABLES.

PARA MÍ, LA CASUALIDAD NO EXISTE.

• Yo también creo que, en el futuro, entenderemos...

3. NO ME LO CREO

A. Fíjate en estos dibujos. ¿Qué dos misterios ilustran? Escríbelo. ¿Qué sabes de ellos? Coméntalo con tus compañeros.

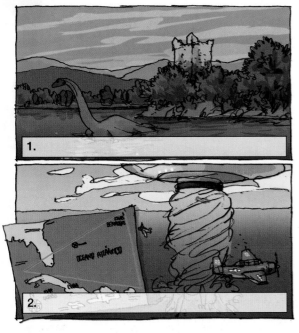

1.

2.

B. Aquí tienes una serie de opiniones e hipótesis sobre el misterio del lago Ness (1) y sobre el Triángulo de las Bermudas (2). Marca a cuál se refieren en cada caso.

	1	2
1. Puede que sea un monstruo prehistórico.		
2. Igual es un fraude para atraer al turismo.		
3. A lo mejor son algas que flotan en el agua.		
4. Quizá sea una base extraterrestre.		
5. Seguramente es un campo electromagnético que afecta a los barcos y aviones que pasan por allí.		
6. Quizá es un "agujero espaciotemporal".		
7. Seguro que son animales marinos que entran por canales subterráneos y luego vuelven a salir al mar.		
8. Tal vez los barcos y los aviones simplemente se hundieron en el mar.		
9. Tal vez sea una entrada a la Atlántida, el continente desaparecido.		

C. Las partículas que están en negrita sirven para expresar hipótesis. Agrúpalas según si van acompañadas de un verbo en Indicativo, en Subjuntivo o si pueden ir con ambos.

D. ¿Con cuáles de las anteriores partículas expresamos más seguridad? Coméntalo con tus compañeros.

4. ¿QUÉ HABRÁ PASADO?

A. Lee las conversaciones y marca en el cuadro quién es el más optimista y quién el más pesimista en cada caso.

ANA: ¿Has visto al profesor? Lleva gafas de sol en clase. ¡Qué raro!, ¿no?
ANTÓN: Sí, no sé... **Estará** perdiendo vista...
ANA: ¡No, hombre, no! Seguramente tiene conjuntivitis o algo así.

EDU: Hace tiempo que no veo a Lupe. ¿Tú sabes algo de ella?
BEA: Pues la verdad es que no, pero **estará** bien, seguro.
EDU: No sé... ¿Tú crees que **habrá conseguido** trabajo? Seguro que todavía no.
BEA: Sí, hombre, seguro que sí.

PEPA: Estoy preocupada por Mario. Ya debería estar aquí. ¿**Habrá tenido** un accidente?
NURIA: ¡No, mujer, no! **Estará** por ahí con sus amigos.

LUZ: Paco, el jefe quiere hablar con nosotros.
PACO: ¡Ostras! ¿**Habremos hecho** algo mal? ¿**Querrá** despedirnos?
LUZ: ¡No, hombre, no! **Tendrá** un trabajo para nosotros o **querrá** pedirnos nuestra opinión sobre algo.

	Ana	Antón	Edu	Bea	Pepa	Nuria	Luz	Paco
optimista								
pesimista								

B. Fíjate en las formas verbales que están marcadas. Unas están en Futuro Simple y otras, en Futuro Compuesto; pero todas sirven para expresar hipótesis. Marca en el cuadro para qué sirve cada uno.

	Futuro Simple (**comeré**)	Futuro Compuesto (**habré comido**)
Para hablar de hipótesis sobre el presente		
Para hablar de hipótesis sobre el pasado		

C. Aquí tienes la forma del Futuro Compuesto. Intenta conjugar las personas que faltan.

	Futuro Simple de **haber**	+	Participio
(yo)	habré		
(tú)	....		
(él/ella/usted)	....		llegado
(nosotros/nosotras)	habremos	+	tenido
(vosotros/vosotras)	....		venido
(ellos/ellas/ustedes)	habrán		

RECURSOS PARA FORMULAR HIPÓTESIS

CON INDICATIVO

Estoy seguro/a de que	
Seguro que	
Seguramente	está bien.
Probablemente	se han casado.
Posiblemente	fueron de vacaciones a París.
Supongo que	estaban muy cansados.
A lo mejor	
Igual*	

* **Igual** se usa solo en la lengua coloquial.

CON SUBJUNTIVO

Lo más seguro es que	
Es probable que	esté enfermo.
Es posible que	tenga problemas.
Puede que	venga pronto.

CON INDICATIVO Y SUBJUNTIVO

Tal vez	está/esté enfermo.
Quizá(s)	viene/venga más tarde.

EL FUTURO SIMPLE

Para formular hipótesis sobre el presente, podemos utilizar el Futuro Simple.

Afirmamos algo	● Pepe está trabajando.
Planteamos una hipótesis	● **Estará** trabajando.
Invitamos al interlocutor a especular	● ¿Dónde **estará** Pepe?

● *¿Dónde **estará** tu hermano? Estoy preocupada.*
○ *Tranquila, **estará** tomando algo con sus amigos.*

● *Se ha pasado el día en la cama. Yo creo que le pasa algo.*
○ *No... **Estará** cansado o **tendrá** sueño atrasado.*

· EL FUTURO COMPUESTO

Para formular hipótesis sobre el pasado, podemos utilizar el Futuro Compuesto.

	Futuro Simple de **haber**	+ Participio
(yo)	**habré**	
(tú)	**habrás**	hablado
(él/ella/usted)	**habrá**	comido
(nosotros/as)	**habremos**	vivido
(vosotros/as)	**habréis**	
(ellos/ellas/ustedes)	**habrán**	

Afirmamos algo	● María ha ido al cine.
Planteamos una hipótesis	● **Habrá ido** al cine.
Invitamos al interlocutor a especular	● ¿Dónde **habrá ido**?

● *¿Dónde **habré guardado** los calcetines?*
○ ***Estarán** en el armario. ¿Has mirado?*

OTROS RECURSOS PARA EXPRESAR GRADOS DE SEGURIDAD

Estoy convencido/a de + sustantivo
+ **que** + Indicativo
Es muy probable/posible + sustantivo
+ **que** + Subjuntivo
No estoy muy seguro/a, pero creo (que) + Indicativo
He leído/visto/oído (no sé dónde) que + Indicativo
Dicen que + Indicativo

● *Estoy absolutamente convencida de...*
... *la existencia de los extraterrestres.*
... *que existen los extraterrestres.*

CREER/CREERSE

Para expresar una opinión, podemos usar la construcción **creer que** + Indicativo.

● Yo **creo que** las predicciones del horóscopo casi nunca se cumplen.

Para rechazar una hipótesis o una afirmación previa, usamos **no creer que** + Subjuntivo.

● Yo **no creo que** existan los extraterrestres.

Para expresar una creencia, usamos **creer en** + sustantivo.

● Los budistas **creen en** la reencarnación, ¿no?
○ Sí, me parece que sí.

Para expresar si una afirmación o una opinión nos parece verdad o mentira, usamos **(no) creerse (algo)**.

● Te prometo que mañana acabo el trabajo.
○ Lo siento, pero **no me lo creo**.

5. ¿QUÉ ESTARÁ HACIENDO?

Imagina que alguien de la clase ha ganado un concurso. El premio es un viaje al lugar del mundo que él o ella elija. Hace dos días que se fue. Escribe algunas frases sobre dónde crees que habrá ido, qué crees que estará haciendo, qué habrá hecho, etc. Tus compañeros tendrán que adivinar de quién se trata.

- Habrá ido a Hollywood. Seguro que ha intentado conocer a Brad Pitt y ahora está cenando con él en un restaurante de lujo.
- Es Lucía, seguro.
- ¡Muy bien!

6. ¿EXISTEN LOS OVNIS?

A. ¿Crees que hay una explicación científica para los fenómenos paranormales o piensas que hay enigmas que la ciencia no puede explicar? Marca si estas afirmaciones te parecen verdaderas o falsas.

		V	F
1	El movimiento y la situación de los planetas (especialmente el Sol, Marte y la Luna) influyen en nuestro comportamiento.		
2	La astrología no tiene poder de predicción.		
3	Los únicos horóscopos fiables son los que publican las revistas especializadas.		
4	Mucha gente ve cosas en el cielo que no puede explicar.		
5	Seguramente no estamos solos en el universo.		
6	Los extraterrestres nos han visitado, nos visitan y nos visitarán siempre.		
7	La NASA y la CIA tienen pruebas de que existen los ovnis, pero no las revelan.		
8	Los mentalistas pueden doblar objetos metálicos con el poder de la mente.		
9	Está comprobado que fenómenos como la telepatía pueden explicarse desde la física electromagnética.		
10	La mente y el espíritu pueden existir independientemente del cuerpo.		
11	La muerte es irreversible y no hay nada después de ella.		
12	Las personas que dicen que pueden adivinar el futuro o hablar con los muertos son desequilibrados o farsantes.		

B. Ahora, comenta las respuestas con tu compañero.

- Yo sí creo que los planetas influyen en nuestro comportamiento.
- No sé, puede que nos afecten de alguna manera, pero no creo que influyan en nuestro comportamiento.

C. ¿Alguien de la clase ha tenido alguna experiencia paranormal? ¿Se atreve a contarla?

7. EL ESPÍRITU DE LA CASA

A. Lee este cuento de suspense. ¿Cómo crees que acaba? Comentadlo en parejas y, luego, escribid el final de la historia.

La mujer de la limpieza había encontrado el cadáver del señor Velázquez un lunes. Había pasado el fin de semana con unas tijeras clavadas en la espalda y ni él ni la casa tenían muy buen aspecto. La policía llegó de inmediato y, unos días después, se inició la investigación para buscar al culpable. Sin embargo, tras más de seis meses de infructuosa búsqueda, el caso fue archivado.

Desde que me enteré de que, muchos años atrás, se había cometido en mi casa aquel crimen aún no resuelto, me obsesionó la idea de resolver yo misma el misterio. Revolvía cajones de muebles que llevaban mucho tiempo allí, daba golpes en las paredes para encontrar puertas falsas y pasadizos secretos, invocaba al espíritu del muerto... hasta que, un día, el espíritu respondió.

Una noche, me desperté de madrugada con la irrefrenable necesidad de escribir. De repente, mi brazo era totalmente autónomo y garabateaba mensajes extraños, casi ininteligibles. Uno de ellos decía "muero por error" o "por amor". También escribí una palabra muy extraña, "terivantex", y dibujé a un hombre calvo y con gafas. Yo nunca he sabido dibujar, pero el retrato era de una gran perfección. Decidí conservar aquella hoja y todas las que vinieron después, en posteriores "ataques de psicografía". "Busca en la cocina" y "busca en los laboratorios" escribí en los días siguientes. Tenía nuevas pistas y sabía que acabaría descubriendo el misterio.

Días después, fui a una hemeroteca y descubrí, en un periódico del año 1924, que el tal Velázquez era un conocido psiquiatra. El artículo decía también que había descubierto un medicamento para la ansiedad, ahora en desuso, llamado "terivantex". Emocionada, seguí leyendo. "¿No habrá una foto de Velázquez?", pensé. Al final del artículo la encontré. Era una foto antigua y no se veía muy bien, pero allí estaba él: el hombre calvo que yo había dibujado.

B. Ahora cada pareja va a contar su final a la clase. ¿Cuál os gusta más?

8. ESOTÉRICOS VS. CIENTÍFICOS

A. Aquí tienes una serie de noticias sobre fenómenos paranormales. ¿Qué te parecen? ¿Puedes dar una explicación a alguna de las noticias? Coméntalo con tus compañeros.

B. Ahora, el profesor dividirá la clase en dos grupos: los esotéricos y los escépticos. Cada grupo va a preparar argumentos para defender su postura. Aquí tenéis algunos, pero podéis inventar otros. Luego, podéis empezar el debate.

Acampan en un bosque y amanecen en un lago
Un grupo de excursionistas de entre 17 y 20 años supuestamente acamparon sus tiendas durante la noche del pasado jueves en un bosque y, por la mañana, despertaron en una isla en el centro de un lago.

Demonio o esquizofrenia
Fuentes del Vaticano han manifestado hoy que, según sus especialistas, más de la mitad de los 30 000 casos de exorcismos tratados en el año 2004 se deben a trastornos de la personalidad y no a posesión demoníaca.

Poderosos ojos
En Cuzmel (México) una niña de 13 años sorprende a todos sus vecinos por su capacidad para mover objetos (algunos de hasta 50 kilos) con el poder de su mirada. *"Solo tengo que abrir los ojos y concentrarme mucho"*, dijo.

Los extraterrestres son buena gente
Cientos de españoles han confesado en los últimos años haber sido abducidos por extraterrestres. La mayoría solo recuerda qué pasó después de someterse a hipnosis. *"Nos llevaron a la nave, nos examinaron y nos sacaron muestras de sangre"*, manifestó uno de los abducidos.

Avistamiento de ovnis en Málaga
Varias personas afirman haber visto ovnis durante la noche del pasado 23 de junio. La descripción de lo sucedido realizada por uno de los testigos resulta escalofriante: *"Cuatro puntos de luz muy intensos que avanzaban muy lentamente."*.

Los círculos vuelven a Cataluña
En un campo de cebada, muy cerca de Barcelona, ha aparecido una espectacular figura compuesta de 19 círculos, de entre cuatro y quince metros de diámetro, muy similar a los *crop circles* detectados en el sur de Inglaterra.

ESOTÉRICOS
1. Las estrellas determinan nuestro carácter. Si no, por qué hay tantas diferencias entre un piscis y un cáncer.
2. Tenemos una mente muy poderosa, pero no sabemos cómo utilizarla para "ver" otras realidades.
3. La magia es una ciencia que no está lo suficientemente explorada.
4. La ciencia solo pretende que seamos esclavos de la técnica.
5. El hombre no es únicamente un cuerpo: hay algo más.

CIENTÍFICOS
1. Solo existe lo que puede ser probado científicamente.
2. Los sucesos paranormales son solo fenómenos que la ciencia todavía no ha podido explicar científicamente.
3. El mundo está gobernado por leyes físicas y matemáticas.
4. En el futuro se inventarán microchips que enviarán ondas para leer el pensamiento.
5. Los parapsicólogos solo quieren aprovecharse de los ingenuos.

- Yo lo de los ovnis no me lo creo. Seguramente lo que vieron eran estrellas o aviones.
- Pues yo sí creo en los extraterrestres.
- Y yo. El universo es muy grande y seguro que hay vida en otros planetas. No sé, tal vez los extraterrestres no sean verdes y con antenas, pero...

9. MAGIA O RELIGIÓN

A. La santería es una religión muy presente en Cuba. ¿Qué sabes de esta religión? Coméntalo con tus compañeros.

B. Ahora, lee el texto para saber más cosas sobre la santería.

Santería
la cara oculta de Cuba

Todo el mundo conoce Cuba, el país donde se producen los mejores puros del mundo, el país del baile y del son, sin olvidar su famoso ron o sus playas paradisíacas. Pero probablemente poca gente conoce la santería, la religión de los afrocubanos, una especie de versión cubana del vudú haitiano o del candomblé brasileño.

La santería tiene sus orígenes en el oeste de África, en la región que actualmente ocupan Nigeria y Benín. En esta zona vivían los yorubas, cuya religión tradicional es la base de lo que hoy conocemos como santería. Durante la época de la esclavitud, muchos sacerdotes y miembros de esta tribu fueron enviados a América, principalmente a Cuba y a otras zonas del Caribe. En el Nuevo Mundo, en un intento de esconder su religión y sus prácticas mágicas, los yorubas identificaron sus dioses africanos con los santos del catolicismo, lo que dio como resultado un sincretismo religioso llamado santería.

Los devotos de la santería creen en una fuerza central llamada Oloddumare, que interactúa con el mundo a través de sus emisarios, los orishas. Estos gobiernan cada una de las fuerzas de la naturaleza y cada aspecto de la vida humana. Según la santería, la vida de cada persona está supervisada por un orisha y la comunicación entre ellos y los humanos debe realizarse a través de ritos, rezos, adivinaciones, sacrificios (los ebbó) u ofrendas.

A diferencia de otras religiones, la santería carece de templos. Sus prácticas religiosas se realizan en pequeños locales que se encuentran normalmente en las mismas viviendas de los sacerdotes del culto (los santeros), y en los que se conservan los objetos del ritual y las imágenes religiosas. Por encima de los santeros están los babalaos, los sacerdotes de mayor jerarquía.

La trascendencia de la santería en la sociedad cubana no radica solo en el gran número de adeptos que tiene sino en el hecho de que aporta numerosos símbolos, ideas, mitos, leyendas y maneras de actuar a la idiosincrasia y a la cultura del país.

C. ¿Conoces alguna religión o alguna secta similar?

7
BUENAS NOTICIAS

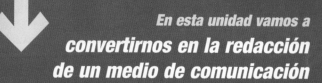

En esta unidad vamos a
**convertirnos en la redacción
de un medio de comunicación**

Para ello vamos a aprender:
> a redactar una noticia
> a referirnos a una noticia y a comentarla
> el uso de la voz pasiva > verbos de transmisión
de la información: **manifestar, declarar...**
> vocabulario relacionado con los medios de comunicación

COMPRENDER

1. NOTICIAS DE AYER

A. Un periódico español ha publicado una cronología de noticias aparecidas en su portada desde su fundación. Léelas y decide con qué sección del periódico las relacionas. Luego, coméntalo con tus compañeros.

Cronología de **noticias**

- **1977** Primeras elecciones democráticas en España en 41 años
- **1981** IBM crea el primer ordenador personal (PC)
- **1982** Gabriel García Márquez gana el premio Nobel de Literatura
- **1983** Un grupo de científicos logra identificar el VIH, el virus del SIDA
- **1988** El gobierno español compra a la familia Thyssen-Bornemisza la colección privada de arte más importante del mundo
- **1989** Cae el muro de Berlín
- **1991** Se declara la Guerra del Golfo
- **1996** Grave crisis en el sector alimentario por el síndrome de las "vacas locas"
- **1997** Científicos del Instituto Roslin de Escocia anuncian que han logrado la clonación de una oveja
- **1998** Francia se proclama campeona del mundo de fútbol
- **1999** Nace el euro: la moneda única europea
- **2002** Lula Da Silva gana las elecciones en Brasil
- **2004** Atentados terroristas en varias estaciones de tren madrileñas

secciones

» Internacional　» Deportes
» España　» Cultura
» Tecnología　» Salud
» Economía

B. Piensa ahora en otras noticias que tú recuerdes. ¿Cuál ha sido la noticia más importante para tu país en los últimos años? ¿Y para la historia de la humanidad? Coméntalo con tus compañeros con la ayuda de la lista de vocabulario.

EL NACIMIENTO DE...
LA DECLARACIÓN DE INDEPENDENCIA DE...
LA MUERTE DE...
EL ASESINATO DE...
EL ATENTADO DE/EN...
LA UNIFICACIÓN DE...
LA INVASIÓN DE...
LA RETIRADA DE...

LA GUERRA DE...
EL GOLPE DE ESTADO DE/EN...
LA CRISIS DE...
LA CAÍDA DE...
EL TRIUNFO DE...
LA DERROTA DE...
EL AUMENTO DE...
LA DISMINUCIÓN DE...

• En Suecia, la noticia más importante fue sin duda el asesinato de Olof Palme.
○ Pues en Estados Unidos, o el final de la guerra de Vietnam o el 11 de septiembre...

C. ¿Cuál recuerdas tú con más intensidad?

• Yo recuerdo especialmente la muerte de Lady Di.
○ Pues yo recuerdo cuando se celebraron los Juegos Olímpicos en mi país; fue en el año...

2. UN PERIÓDICO

A. Esta es la portada de un periódico digital. Lee las noticias y relaciónalas con las informaciones del cuadro.

El Mundo Imaginario

edición digital

Internacional
España
Opinión
Sociedad
Tecnología
Economía
Deportes
Cultura
Salud
Titulares del día
Versión texto

Publicidad

A fondo
Multimedia
Participación
Chat
Encuestas
Foros
Entrevistas
Servicios
Cartelera
Horóscopo
Parrilla TV
Tiempo

www.tudestino.com

piensa **ya** en tu próximo destino

ONU pacifista — 1

Ayer se aprobó por unanimidad el cierre y el desmantelamiento de todas las instalaciones dedicadas a la fabricación de armamento nuclear.

El tiempo — 2

Sol y calor para el fin de semana en casi toda la península. Nubes en el litoral cantábrico, en zonas de Castilla y León, Aragón, Andalucía y Cataluña, y en Melilla.

El ministro de Economía anuncia una rebaja en los impuestos — 3

Bajan los impuestos aplicados a los artículos de primera necesidad, como la alimentación y la gasolina.

Aparece en el patio de una escuela el tigre que se había escapado del zoo de Madrid — 4

Unos niños lo tenían escondido en el gimnasio del colegio.

La baronesa Von Tripp cede su excepcional colección de arte — 5

La baronesa: "Mis 78 cuadros serán instalados en una sede provisional hasta poder encontrar el lugar definitivo."

Las "parejas de hecho" pasan a ser parejas con derechos — 6

Aprobada la nueva ley del matrimonio.

El bebé que llegó del frío — 7

Nace un niño a partir de esperma congelado hace 21 años.

Accidente en el aeropuerto de Trimina — 8

No hubo víctimas.

Boda real — 9

Ayer se celebró la boda de los príncipes de Rainistán. Cada ciudadano del país recibió 1000 €.

Frases	Noticia
Fuentes del aeropuerto aseguraron que no hubo desgracias personales.	
Los vecinos alertaron a la policía después de ver a unos niños con bolsas llenas de carne.	
El ministro anunció también un aumento de las ayudas a los parados.	
La nueva pinacoteca ofrecerá una impresionante muestra de diferentes épocas y estilos.	
El pacto fue firmado por la totalidad de los países representados en la Asamblea.	
La nueva ley reconoce el matrimonio entre personas de un mismo sexo.	
El niño nació en 2002, pero el caso no ha salido a la luz pública hasta ahora.	
Los novios fueron aclamados por el numeroso público que llenaba las calles.	
Ligero descenso de las temperaturas a partir del lunes.	

B. Ahora, vas a escuchar más información sobre algunas de las noticias anteriores, en versión televisiva. ¿De qué noticia hablan en cada caso? ¿Qué nueva información dan? Completa el cuadro.

	Noticia	Nueva información
1		
2		
3		
4		

3. PASATIEMPOS

A. Lee este cuestionario. ¿Sabes las respuestas?

1 El tratado del MERCOSUR **fue firmado** por Brasil, Argentina, Uruguay y .... en 1991.

Paraguay / Chile / México

2 La Revolución cubana **fue liderada** por Fidel Castro, Camilo Cienfuegos y ....

Emiliano Zapata / el Che Guevara / el Subcomandante Marcos

3 *Cien años de soledad* de Gabriel García Márquez **fue publicada** en ....

1947 / 1967 / 2000

4 Las pirámides de Chichén Itzá **fueron construidas** por ....

los incas / los mayas / los aztecas

5 El Museo del Prado **fue inaugurado** en ....

1650 / 1819 / 1994

6 Los restos arqueológicos de Machu Picchu **fueron descubiertos** en ....

1911 / 1931 / 1961

7 Las Islas Galápagos **fueron declaradas** por la ONU ....

reserva de la biosfera / patrimonio histórico / parque natural

B. Fíjate en la estructura que está marcada en negrita. ¿Puedes deducir para qué sirve y cómo se forma?

C. ¿En qué contextos crees que podrían aparecer todas estas frases?

☐ En una enciclopedia.

☐ En una conversación entre dos amigos.

☐ En una noticia de un periódico.

☐ En un libro de historia.

☐ En un cómic.

D. Estas frases dan informaciones sobre las visitas que ha tenido un periódico digital. Complétalas.

es visitada   serán visitadas

fue visitada   ha sido visitado

1. El mes pasado nuestra web .... por más de 300 000 personas.

2. Calculamos que el próximo mes nuestras páginas digitales .... por más de 400 000 internautas.

3. Habitualmente la sección de deportes .... por una media de 1003 personas por minuto.

4. Esta semana el suplemento de salud .... por más de 75 000 personas.

4. ¿TE HAS ENTERADO?

A. Vas a escuchar a unos amigos comentando unas noticias aparecidas en diferentes medios de comunicación. Completa el cuadro.

🔊 ¿Qué ha pasado?
1.
2.
3.
4.

B. Vuelve a escuchar las conversaciones. Fíjate en qué recursos usan para referirse a una noticia y completa los espacios.

1. ● Oye, ¿te has enterado de .... Renato, el futbolista?
   ○ Sí, lo he leído hoy en el periódico. Parece que se retira, ¿no?

2. ● Oye, Pedro, ¿qué sabes de .... García?
   ○ Dicen que ha dimitido por cobrar comisiones ilegales, ¿no?

3. ● ¿Has visto .... han inventado en Japón?
   ○ No, ¿qué?
   ● Una tela nueva increíble que protege del frío y del calor.

4. ● Oye, ¿al final qué ha pasado con .... barco ese?
   ○ Pues que se ha hundido cerca de la costa de Génova.

C. ¿Has leído hoy el periódico? ¿Y ayer? ¿Te has enterado de alguna noticia? Averigua si tus compañeros también la conocen. El profesor recogerá la información en la pizarra.

● ¿Os habéis enterado de lo del accidente en Escocia?

CONSTRUCCIONES PASIVAS E IMPERSONALES

A veces nos interesa resaltar el objeto de la frase (la persona o cosa que "sufre" la acción) o resaltar esa acción. Para ello, en español existen diferentes recursos.

LA VOZ PASIVA: SER + PARTICIPIO (+ POR + COMPLEMENTO AGENTE)

En la voz pasiva, el verbo **ser** se conjuga en todos los tiempos. El Participio concuerda en género y en número con el Sujeto Paciente.

El presidente	aceptó	las condiciones
Sujeto	verbo	Objeto Directo

Las condiciones	fueron aceptadas	por el presidente
Sujeto Paciente	ser + Participio	C. Agente

- *La actriz **fue entrevistada** por nuestro enviado especial.*
- *Los ladrones **fueron descubiertos** por unos niños.*
- *Hoy **han sido puestos** en libertad los rehenes.*
- *Mañana **será clausurado** el festival de cine de Málaga.*

En las construcciones pasivas, no siempre aparece explícito el Complemento Agente, bien porque no es importante, bien porque se sobreentiende.

- Los asesinos **fueron detenidos** ayer por la tarde cuando intentaban salir del país.

SE + VERBO CONJUGADO EN 3ª PERSONA

Con esta construcción, se oculta al "actor" de la acción.

- En esa época **se cometieron** varios atentados.
- **Se rebajará** el precio de la gasolina.

3ª PERSONA DEL PLURAL

Otro recurso es utilizar la tercera persona del plural para evitar mencionar un sujeto que no es relevante (o que es desconocido) y destacar la acción.

¡Fíjate! Han liberado a las niñas que habían desaparecido.

¡Menos mal!

ANTICIPACIÓN DEL COMPLEMENTO

Una manera de resaltar el objeto de la frase en un registro conversacional es anticipar el Objeto Directo. En estos casos, hay que reduplicar el objeto con el pronombre correspondiente.

- La boda **la** vieron más de cien millones de espectadores.
- Los Juegos Olímpicos **los** vimos por la tele.
- Las imágenes de la manifestación **las** han censurado.
- Al ladrón **lo** han detenido esta mañana en Florida.

REFERIRSE A UNA NOTICIA O A UN TEMA

- Oye, ¿te has enterado de **lo de** Renato, el futbolista?
- ¿Viste ayer **lo del** submarino ese que se ha hundido?
- ¿Habéis visto **lo que** ha pasado en Armenia?

VERBOS DE TRANSMISIÓN

En los medios de comunicación se suelen utilizar determinados verbos para citar el discurso de otros. Ese discurso puede aparecer de forma directa o indirecta.

"No dejaremos que cierren la empresa",	**manifestaron afirmaron dijeron**	los trabajadores.

"Queríamos cerrar la empresa, pero vamos a pactar"

PERIODICO

El director de EFFON reconoció que querían cerrar la empresa

El presidente	**confesó comentó explicó reconoció recordó admitió**	las causas de la crisis. que había una grave crisis.
	declaró añadió dijo	que había una grave crisis.
El secretario general de la ONU	**prometió insistió en anunció**	la retirada de las tropas. que las tropas se iban a retirar.

5. MEDIOS DE COMUNICACIÓN

A. Contesta a las siguientes preguntas sobre los medios de comunicación de tu país. Luego, haz el cuestionario a un compañero. ¿Crees que está bien informado?

radio

1. ¿Cuáles son las emisoras más escuchadas?
2. ¿Cuándo escuchas normalmente la radio: por la mañana, a mediodía...?
3. ¿Qué tipo de programas te gustan más: los humorísticos, los deportivos, los musicales, los consultorios sentimentales...?
4. ¿Son muy famosos los locutores de radio?
5. ¿Quién escucha la radio: gente que trabaja en casa, taxistas...?

prensa

1. ¿Sueles comprar algún periódico? ¿Cuál?
2. ¿Lo compras todos los días?
3. ¿Compras siempre el mismo?
4. ¿Qué tipo de lector tiene esa publicación?
5. ¿Qué tipo de prensa tiene más éxito en tu país: la sensacionalista, la prensa del corazón, la de actualidad económica o política, la deportiva...?
6. ¿Qué secciones del periódico te interesan más?
7. ¿Lees habitualmente algún periódico en español?

televisión

1. ¿La televisión en tu país es pública o privada?
2. ¿Hay muchos canales?
3. ¿Qué tipo de programas tienen más éxito?

B. Aquí tienes una serie de afirmaciones. Marca aquellas con las que estés más de acuerdo. Luego, coméntalo con tus compañeros. Intenta aportar ejemplos concretos.

☐ Solo nos preocupamos de las cosas cuando son noticia.

☐ Los medios de comunicación solo buscan vender.

☐ Los periodistas tienen más poder que los políticos.

☐ Un buen periódico ayuda a garantizar la democracia.

☐ Existen medios de comunicación objetivos.

☐ Los periódicos ayudan a la gente a formarse una opinión sobre la realidad.

- Para mí, es evidente que nos preocupamos de ciertas cosas solo cuando son noticia.
- Sí, por ejemplo, en África ha habido guerras horrorosas y nadie ha dicho nada, simplemente porque no salían en los medios de comunicación.

6. NOTICIAS

A. Las noticias suelen dar respuesta a las siguientes preguntas (aunque no siempre en este orden): quién, qué, cuándo, dónde, por qué, para qué y cómo. Lee esta noticia e intenta responder a todas ellas.

UNA FINAL DESIGUAL
| MANUEL GARCÍA | MADRID |

Esta noche a las 9 menos cuarto se celebra en Madrid la final de la Liga de Campeones que enfrentará al Real Club Dridma y al Atlético Brasas. El equipo rojo se perfila como claro favorito, ya que todavía no conoce la derrota en esta competición y recupera a su estrella, el checo Doborski. Por su parte, el Dridma deberá jugar sin su mejor jugador, el brasileño Da Silva, lesionado desde hace una semana. El encuentro será retransmitido en directo por Tele4.

B. Aquí tienes tres fotos que podrían ser portada de un periódico. En parejas, elegid una e inventad una posible noticia.

C. Ahora, desarrollad la noticia en forma de artículo de prensa o de fragmento de televisión o de radio.

7. ¿QUÉ ME DICES?

A. Vamos a dividir la clase en dos grupos. Un grupo (A) espera fuera de clase y el otro (B) va a escuchar una noticia. Los miembros del grupo B deberán tomar notas para poder explicarla luego al otro grupo.

B. Ahora, vamos a trabajar en parejas. Un miembro del grupo B le cuenta la noticia a uno del grupo A. Juntos debéis intentar escribirla.

C. Vamos a escuchar otra noticia. Esta vez los miembros del grupo B salen fuera.

8. EL NOTICIARIO DE LA CLASE

A. En parejas, tenéis que inventar una noticia para "El noticiario de la clase". Puede ser una noticia de prensa, de radio o de televisión. Puede ser real, inventada o algo que ha sucedido en la clase durante el curso. Primero tenéis que decidir los siguientes puntos.

(1) **Sección:** DEPORTES, CULTURA, ECONOMÍA, ETC.

(2) **Formato:** PRENSA, RADIO, TELEVISIÓN

(3) **Noticia:** QUIÉN, QUÉ, CUÁNDO, DÓNDE, POR QUÉ, PARA QUÉ, CÓMO

B. Ahora, vais a redactar la noticia. Luego, las noticias de prensa escrita las colgaréis en la pared, y las de radio o televisión las retransmitiréis delante de la clase. También las podéis grabar. ¿Cuál es la más original? ¿Y la más divertida? ¿La más surrealista?

SUBSONIC FILTER

9. DÍAS DE RADIO

A. Lee este texto sobre la radio en España. ¿Es igual en tu país? Coméntalo con tus compañeros.

MÁS DE 80 AÑOS DE RADIO EN ESPAÑA

La radio es el "ruido de fondo" en muchas casas españolas por la mañana, antes de ir al trabajo. Muchos españoles vuelven a conectarse de camino al centro laboral, en el coche o en el autobús. Tampoco es extraño desayunar o almorzar en un bar que tenga puesta la emisora favorita del propietario. En las plazas de muchas ciudades y pueblos, se puede ver a grupos de jubilados en animada tertulia o jugando a la petanca o al dominó; muchos de ellos llevan un pequeño aparato de radio desde el que siguen, al mismo tiempo, su programa favorito o la retransmisión de algún partido de fútbol. Y es que se trata de una generación que ha crecido con la radio. Por los micrófonos de las grandes emisoras se ha retransmitido la historia reciente de España: desde el estallido de la Guerra Civil hasta la muerte de Franco, pasando por los grandes acontecimientos deportivos, el golpe de estado del 23 de febrero o los atentados de Atocha.

Luis del Olmo. Uno de los referentes fundamentales de la radio en España. Cobra sueldos millonarios.

Gemma Nierga. Se hizo famosa con el programa "Hablar por hablar", en el que los oyentes revelaban sus preocupaciones mas íntimas.

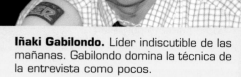

Iñaki Gabilondo. Líder indiscutible de las mañanas. Gabilondo domina la técnica de la entrevista como pocos.

B. Lee ahora el testimonio de estos cuatro españoles. ¿Con cuál te identificas más?

Marta, arquitecta: «Yo pongo la radio por las mañanas, mientras desayuno. Normalmente escucho las noticias de Radio Nacional o alguna tertulia de actualidad.»

Eduardo, estudiante: «Yo sobre todo escucho la radio por la noche, cuando ya estoy en la cama. A las 12h empieza mi programa favorito, "El larguero". Es un programa muy bueno de información deportiva.»

Felipe, taxista: «Yo llevo la radio puesta todo el día. Son muchas horas al volante y me sirve de distracción. Me encanta escuchar música; también me gustan las tertulias y los programas de humor.»

Belén, ama de casa: «Yo tengo la radio puesta casi todo el día. Da igual lo que den, aunque prefiero los programas de entrevistas y de humor. Hace años escuchaba radionovelas, pero ahora ya no ponen.»

8

YO NUNCA LO HARÍA

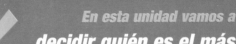

En esta unidad vamos a
decidir quién es el más
atrevido de la clase

Para ello vamos a aprender:

> a dar consejos > a evocar situaciones imaginarias: **si fuera/**
estuviera… + Condicional > a opinar sobre acciones y conductas
> a expresar desconocimiento: **no sabía que…**
> a expresar deseos > la forma y algunos usos del Condicional
> el Pretérito Imperfecto de Subjuntivo de ser, estar y **poder**

1. ¿UNA MODA DE AHORA?

A. ¿Te gustan los tatuajes? ¿Y los *piercings*? ¿En qué partes del cuerpo te parecen más bonitos?

- A mí me gustan los piercings en la lengua.
- Pues a mí me parecen horribles.

LA CEJA

LA ESPALDA

EL LABIO

EL HOMBRO

LA OREJA

EL BRAZO

LA LENGUA

EL CUELLO

EL OMBLIGO

LA NARIZ

LA PIERNA

B. ¿Qué sabes sobre el origen de los *piercings* y de los tatuajes? ¿En qué culturas se hacen o se han hecho estas prácticas?

- Los piratas llevaban pendientes, ¿no?
- Sí, y creo que las mujeres magrebíes se pintan las manos con henna.

C. Ahora, lee este artículo sobre la historia de los tatuajes y de los *piercings*. Luego, comenta con tus compañeros qué cosas te han sorprendido más.

PIERCINGS Y TATUAJES

Durante miles de años, diferentes culturas de todo el mundo han adornado sus cuerpos por muchos y variados motivos. Los soldados romanos, por ejemplo, se hacían *piercings* en el pecho como muestra de virilidad y de lealtad al emperador. Los antiguos mayas se perforaban la lengua con propósitos espirituales; los cazadores de algunas tribus del Amazonas se atravesaban la nariz con huesos de animales y las tribus de la Polinesia adornaban a sus jefes con tatuajes que simbolizaban su estatus en la comunidad.

RECUERDA

Si quieres **seguir esta moda** y **hacerte un** *piercing* o un **tatuaje**, te **recomendam**os que acudas a un **profesional**. **No te pongas en manos** de gente inexperta **porque no suelen usar** métodos de esterilización adecuados **ni materiales homologados** por las autoridades sanitarias. En este tipo de prácticas existe el **riesgo de reacciones alérgicas** y de contraer **enfermed**ades graves, por lo que **toda** precaución es poca.

A partir del siglo XV esta práctica se popularizó entre marineros, aventureros y miembros de grupos sociales marginados, lo que provocó una actitud de rechazo en diversas culturas, como la occidental. El capitán Cook, en su primer viaje a la Polinesia en 1796, observó que los indígenas pintaban sus cuerpos, introduciendo el color negro bajo la piel. Los marineros de Cook quedaron fascinados por el *tatau* polinesio y, de esta forma, empezó la tradición universal del tatuaje marinero y militar. En Japón, en el siglo XVIII, hubo un florecimiento del tatuaje decorativo tras haber estado prohibido durante más de dos siglos.

El tatuaje moderno data de 1880, cuando Samuel O'Reilly, de Nueva York, diseñó la primera máquina eléctrica para practicarlo. Este método se ha mantenido hasta la actualidad con distintas modificaciones que facilitan y mejoran los resultados.

La palabra *piercing* viene del ingles *pierce*, que significa "agujerear". Se trata, como hemos visto, de una práctica milenaria que se realiza en todas las partes del cuerpo: cejas, lengua, labios, nariz, orejas, pezones, ombligo, pene, clítoris, etc. Tanto el *piercing* como el tatuaje han sido en los últimos años un símbolo de rebeldía social. Sin embargo, el hecho de que cada vez haya más gente que los lleva hace que se estén convirtiendo en simplemente una moda.

• Yo no sabía que los romanos se hacían piercings.
〉 Pues yo pensaba que…

2. Y TÚ, ¿TE LO HARÍAS?

🔊 **A.** Vas a escuchar a estas cuatro personas hablar sobre los *piercings* y sobre los tatuajes. ¿A quién corresponde cada una de las opiniones?

◯ Yo nunca me haría uno.

◯ Si fuera más joven, me haría uno.

◯ Yo solo me lo haría en una parte muy discreta del cuerpo.

◯ Me encantan. Tengo uno.

1. LOURDES

2. REME

3. FERMÍN

4. SONIA

B. ¿Con quién estás más de acuerdo?

• Yo pienso como Lourdes…

3. EL CONDICIONAL

A. ¿Recuerdas cómo se forma el Futuro? El Condicional es muy parecido. Completa las formas que faltan.

	FUTURO	CONDICIONAL
(yo)	hablar**é**	hablar**ía**
(tú)	hablar**ás**	....
(él/ella/usted)	hablar**á**	hablar**ía**
(nosotros/nosotras)	hablar**emos**	....
(vosotros/vosotras)	hablar**éis**	hablar**íais**
(ellos/ellas/ustedes)	hablar**án**	....

B. La raíz de los verbos irregulares en Condicional es la misma que la del Futuro. Intenta conjugar estos verbos.

	tener	salir	decir	hacer
(yo)	tendría	....	....	....
(tú)	....	....	....	....
(él/ella/usted)	....	....	....	....
(nosotros/nosotras)	....	....	....	....
(vosotros/vosotras)	....	....	....	....
(ellos/ellas/ustedes)	....	....	....	....

	poder	saber	querer
(yo)	podría	....	....
(tú)	....	....	....
(él/ella/usted)	....	....	....
(nosotros/nosotras)	....	....	....
(vosotros/vosotras)	....	....	....
(ellos/ellas/ustedes)	....	....	....

C. El Condicional tiene muchos usos. Completa las frases y descúbrelos.

[cambiaría]   [me iría]   [te importaría]   [viviría]

[te gustaría]   [deberías]   [me comería]

1. ¡Qué hambre tengo! .... un bocadillo de jamón.

2. Yo no .... nunca en una ciudad tan grande. No soporto el ruido.

3. Este ritmo de trabajo me está matando. .... de vacaciones ahora mismo.

4. Estoy en un momento de mi vida fantástico. No lo .... por nada.

5. ¿No te encuentras bien? Pues .... ir al médico.

6. ¿ .... ir al cine conmigo esta noche?

7. ¡Qué calor! ¿ .... abrir la ventana?

4. CONSEJOS

A. Relaciona cada uno de estos problemas con una de las soluciones y descubrirás diferentes estructuras para dar consejos y recomendaciones.

Problemas

1. Bueno, pues me voy. He quedado con Luisa en la otra punta de la ciudad. ¡Y ya llego tarde!

2. Voy a estar en Sevilla este fin de semana y no sé adónde ir. Tú has vivido allí, ¿no? ¿Qué me recomiendas?

3. Últimamente no puedo dormir por la noche. Vivo en una calle que parece una autopista. ¡Hay tanto ruido!

4. Hace más de una semana que tengo un dolor de cabeza horrible... Esta mañana quería ir al médico, pero al final me ha dado pereza...

5. Mañana tengo invitados a comer y no sé qué preparar.

6. Tengo que comprarme un coche porque, si no, no puedo trabajar. Pero es que no tengo dinero. He pensado en pedir un crédito al banco, pero no sé...

7. Este mes tengo dos exámenes. Si los suspendo, voy a tener que repetir el curso.

8. Voy a estar en México solo una semana y hay tantos lugares que quiero ver...

Soluciones

a) ¿**Por qué no** pones ventanas de doble cristal?

b) **Yo que tú,** no le daría más vueltas. Total, lo vas pagando poco a poco y ya está.

c) **Yo, en tu lugar,** iría a la península de Yucatán. Yo estuve el año pasado y me encantó.

d) Sobre todo **te recomiendo que** vayas a pasear por Triana y que cenes en Casa Cuesta.

e) Pues **deberías** quedarte en casa y estudiar un poco más en vez de salir tanto.

f) Uy... pues, **yo** cogería un taxi. ¡Hay huelga de metro!

g) Pues yo, **si estuviera en tu lugar,** iría al médico ahora mismo. ¡Con la salud no se juega!

h) **Podrías** hacer una paella. Siempre te sale muy buena.

B. ¿Qué tiempos verbales acompañan a estas estructuras?

1. **Yo, en tu lugar,** + Condicional
2. **Si estuviera en tu lugar,** . . . .
3. **Yo que tú,** . . . .
4. **Yo** . . . .
5. **Deberías** . . . .
6. **Podrías** . . . .
7. **Te recomiendo que** . . . .
8. **¿Por qué no** . . . .

EL CONDICIONAL

En español usamos el Condicional para varias cosas: expresar deseos difíciles de realizar, aconsejar, pedir de manera cortés que alguien haga algo, evocar situaciones imaginarias, opinar sobre acciones y conductas…

	estudiar	entender	vivir
(yo)	estudiar**ía**	entender**ía**	vivir**ía**
(tú)	estudiar**ías**	entender**ías**	vivir**ías**
(él/ella/usted)	estudiar**ía**	entender**ía**	vivir**ía**
(nosotros/as)	estudiar**íamos**	entender**íamos**	vivir**íamos**
(vosotros/as)	estudiar**íais**	entender**íais**	vivir**íais**
(ellos/as/ustedes)	estudiar**ían**	entender**ían**	vivir**ían**

- *¡Qué sed!* ***Me bebería*** *un litro de agua.*
- ***Deberías*** *ir al médico. Tienes mala cara.*
- *¿**Podrías** llevarme a casa?*
- *Si fuera millonario,* ***me compraría*** *un yate.*
- *Yo no* ***me haría*** *nunca un tatuaje.*

ACONSEJAR

DEBERÍAS/PODRÍAS + INFINITIVO

- Hoy es vuestro aniversario de boda, ¿no? Pues **deberías** comprarle un regalo a tu mujer. **Podrías** regalarle un viaje, por ejemplo.

¿POR QUÉ NO + PRESENTE DE INDICATIVO?

- **¿Por qué no** ahorras un poco y te compras un coche?

YO EN TU LUGAR / SI ESTUVIERA EN TU LUGAR / YO QUE TÚ / YO + CONDICIONAL

- **Yo, en tu lugar,** me casaría con ella sin pensármelo.
- **Yo, si estuviera en tu lugar,** le pediría perdón.
- **Yo que tú,** hablaría con ella. Se lo debes.
- **Yo** no le diría nada. Se puede enfadar…

TE/LE/OS/LES RECOMIENDO/SUGIERO/ACONSEJO QUE + PRESENTE DE SUBJUNTIVO

- **Te recomiendo que** pruebes el cordero asado. ¡Está riquísimo!
- **Le sugiero que** tome unas cuantas clases de conducción antes del examen.
- **Os aconsejo que** no le molestéis mucho hoy. Está muy agobiado.

OPINAR SOBRE ACCIONES Y CONDUCTAS

- ¡Mira la falda de esa mujer! Yo nunca **me pondría** algo así.

- Los bares de mi calle cierran a las cuatro de la madrugada.
- ¡Qué barbaridad! El Ayuntamiento **debería** hacer algo.

EVOCAR SITUACIONES IMAGINARIAS

CONDICIONAL

- ¿En que lugar del mundo **vivirías**?
- Yo, en Sudáfrica.

SI + PRETÉRITO IMPERFECTO DE SUBJUNTIVO, CONDICIONAL

- Si yo **fuera** una mujer, no **me casaría** nunca.
- Si ahora **estuviera** en una isla del Caribe, **sería** feliz.

EXPRESAR DESCONOCIMIENTO

Ante informaciones que desconocíamos, usamos las expresiones **no sabía que** / **creía que** / **pensaba que** + Pretérito Imperfecto / Pluscuamperfecto.

- ¡Alberto! ¡Qué sorpresa! **No sabía que estabas** aquí.

- Hoy he comido con Lucía.
- ¿Con Lucía? **Pensaba que se había ido** de vacaciones.

PRETÉRITO IMPERFECTO DE SUBJUNTIVO

	ser/ir	estar	poder
(yo)	fuera	estuviera	pudiera
(tú)	fueras	estuvieras	pudiera
(él/ella/usted)	fuera	estuviera	pudiera
(nosotros/as)	fuéramos	estuviéramos	pudiéramos
(vosotros/as)	fuerais	estuvierais	pudierais
(ellos/as/ustedes)	fueran	estuvieran	pudieran

5. SI FUERA...

A. Piensa en un personaje famoso e imagina un final para estas frases.

Si fuera un animal, sería...
Si fuera una flor, sería...
Si fuera un país, sería...
Si fuera un objeto, sería...
Si fuera una música, sería...
Si fuera un libro, sería...
Si fuera una película, sería...

B. Ahora, tus compañeros te van a hacer preguntas para descubrir de quién se trata.

• Si fuera un animal, ¿qué animal sería?
○ Un tigre.

6. EL HOMBRE INVISIBLE

A. Imagina que puedes ser invisible durante un día. ¿Qué cosas harías? Escríbelo

• Primero, iría a un banco y... Luego...

B. Ahora, cuéntaselo a tus compañeros. ¿Quién de vosotros aprovecharía mejor el día? Decididlo entre todos.

7. POBRE MANUEL

A. Manuel está preocupado porque su hija Laura, de 15 años, que siempre había sido una niña muy buena, últimamente ha cambiado bastante. Lee lo que le comenta a un amigo suyo.

"Ya no quiere hablar con nosotros. Siempre está de mal humor y, además, ha perdido el interés por los estudios. ¡Estamos desesperados!"

"Llega muy tarde todos los días. Los fines de semana los pasa en casa de una amiga que no conocemos. Y encima, sale con un grupo de amigos que no nos gustan nada."

"Antes teníamos muy buena relación y hacíamos muchas cosas juntos. Venía de vacaciones con su madre y conmigo, íbamos al cine... Pero este último año ha cambiado mucho."

B. Escucha los consejos que le dan a Manuel diferentes personas y toma notas de lo que le dicen.

1. Una amiga
2. Un amigo
3. Su psicóloga
4. Su hermano

C. ¿Con quién estás más de acuerdo? ¿Qué crees que debe hacer Manuel? Coméntalo con tus compañeros.

• Yo creo que la psicóloga tiene razón. Debería...

8. ¿PARTICIPARÍAS EN UN REALITY-SHOW?

A. Como en muchos países, en España son muy populares los *reality-shows*. En casi todas las cadenas de televisión hay concursos en los que un grupo de personas tienen que convivir y ganarse la simpatía de los telespectadores. Hazle el cuestionario a tu compañero para averiguar si tiene el perfil adecuado para participar en el concurso "Una casa para ti".

Una casa para ti

www.tele4.com/unacasaparati

Seis parejas se encierran en una casa que está en construcción durante tres meses. Los concursantes tienen que acabar de construir la casa: pintar las paredes, hacer el jardín, colocar las ventanas, etc. Tele 4 retransmite el programa las 24 horas del día. Cada dos semanas, por votación popular, una pareja abandona la casa. La última pareja gana la casa.

Cuestionario:

- ¿Le darías un beso a tu pareja delante de una cámara?
- ¿Podrías pasar tres meses sin ver a tu familia y a tus amigos?
- ¿Serías capaz de desnudarte delante de las cámaras?
- ¿Te atreverías a subir a un tejado para arreglar una antena?
- ¿Sabrías preparar comida para doce personas?
- ¿Estarías dispuesto/a a hablar de tus intimidades delante de todo el país?
- ¿Dormirías en la misma habitación con tu pareja y con cinco parejas más?
- ¿Serías capaz de convivir durante tres meses con alguien que no te cae bien?

¡A partir del 22 de mayo...

...en tele4!

B. Cuenta a la clase si crees que tu compañero podría participar en el concurso y por qué. Cuando un compañero hable de ti, puedes interrumpirlo expresando acuerdo o desacuerdo.

- Yo creo que Kim sería una buena concursante porque...

C. ¿Cuál es tu concurso de televisión favorito?

- Hay un concurso que me parece muy divertido. Se trata de superar algún record Guinness y cada semana hay gente que...

9. EL MÁS ATREVIDO

A. Entre todos, vamos a decidir quién es el más atrevido de la clase. Para ello, en pequeños grupos, primero vamos a elaborar un cuestionario.

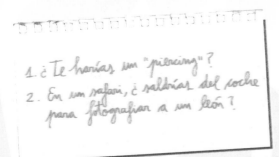

1. ¿Te harías un "piercing"?
2. En un safari, ¿saldrías del coche para fotografiar a un león?

B. Cada miembro de vuestro grupo va a hacerle las preguntas a un compañero de otro grupo.

C. A continuación, vais a poner en común la información y, entre todos, vais a decidir quién es el más atrevido de la clase. Luego, vais a explicárselo a vuestros compañeros.

10. TRADICIONES SINGULARES

A. En el mundo existen numerosas tradiciones que implican cierto riesgo. ¿Conoces estas dos? ¿Te atreverías a participar en ellas?

LOS VOLADORES DE PAPANTLA

La famosa danza de los Voladores de Papantla es una tradición mexicana de origen prehispánico practicada antiguamente por varios grupos indígenas: los huastecos, los toltecas, los nahoas y los totonacas. Se trata esencialmente de una ceremonia religiosa que simboliza el respeto de los hombres por la naturaleza.

La danza es ejecutada por cinco hombres que representan las cinco direcciones del mundo indígena: los cuatro puntos cardinales y la que va de la Tierra al cielo. Los voladores se suben a lo alto de un poste y, mientras el volador principal permanece de pie en la cúspide bailando y tocando la flauta y el tambor, los otros cuatro, atados de un pie, van descendiendo boca abajo al ritmo de la música. Los voladores completan trece vueltas cada uno, número que, multiplicado por cuatro, da 52, los años que tenía un siglo indígena.

En Cataluña existe una tradición popular que consiste en la construcción de torres humanas: los "castells". El origen de estas construcciones se encuentra en una antigua danza llamada "baile de valencianos", que acababa con la llamada "torreta": una construcción humana formada por una persona en la base (pilar) y dos encima (torre).

Con el tiempo, las construcciones humanas se han convertido en una de las expresiones más características del pueblo catalán. En ellas participan desde los más jóvenes (5 ó 6 años) hasta los más ancianos. Para lograr el éxito se necesita la colaboración de todos: de los "castellers" y del público, que normalmente ayuda a compactar la "piña", es decir, la base que mantiene firme la estructura y que, al mismo tiempo, reduce el riesgo en caso de desmoronamiento.

Los grupos que realizan estas construcciones adoptan el nombre de la ciudad de la que proceden y se identifican por el color de sus camisas y de sus fajas. Cada construcción se define en función de la cantidad de personas situadas en cada nivel y de la altura. El punto culminante se produce cuando el "anxaneta" (que puede ser niño o niña) saluda al público desde lo más alto del "castell".

LOS "CASTELLS"

B. ¿Conoces otras tradiciones o actividades de ocio que impliquen un cierto riesgo? Coméntalo con tus compañeros.

9

¿Y QUÉ TE DIJO?

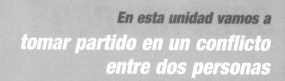

En esta unidad vamos a
**tomar partido en un conflicto
entre dos personas**

Para ello vamos a aprender:
> *a transmitir órdenes, peticiones y consejos*
> *a referir lo que han dicho otros en el pasado
en estilo directo y en estilo indirecto*
> *la forma y algunos usos del
Pretérito Imperfecto de Subjuntivo*

1. CHICO PARA TODO

Toni trabaja en un bufete de abogados como "chico para todo". Esta mañana no ha ido a trabajar. Por eso, cuando llega por la tarde a la oficina, Rosa, la secretaria, le informa de todas las cosas que tiene que hacer. Escucha la conversación y escribe qué tiene que hacer con cada una de estas cosas o personas.

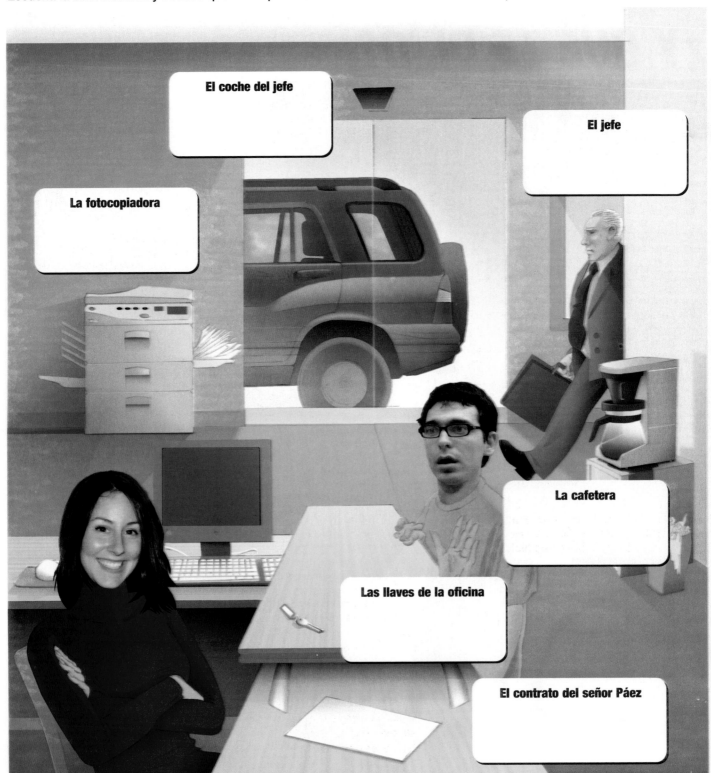

El coche del jefe

El jefe

La fotocopiadora

La cafetera

Las llaves de la oficina

El contrato del señor Páez

2. ME DIJERON QUE TENÍA QUE PAGAR

A. ¿Has sentido alguna vez que te querían estafar? Las tres personas de las fotografías sí. En grupos de tres, cada uno va a leer uno de los testimonios. Después, se lo explicará a sus dos compañeros.

Xoán, 31 años, A Coruña
Una vez, buscando trabajo, me intentaron estafar. Resulta que leí un anuncio en el que buscaban a jóvenes universitarios para trabajar desde casa a través de Internet. El anuncio decía que podías ganar hasta 2000 euros al mes. Llamé al teléfono que ponía en el anuncio y me dijeron que fuera ese mismo día a una entrevista. En la entrevista me dijeron que podía empezar esa misma semana, pero que tenía que comprarles un ordenador y un programa concretos, por valor de 1500 euros. Me pareció muy sospechoso y no lo hice. Unas semanas después, me encontré por la calle a una chica que había conocido el día de la entrevista. Me contó que todo era una gran estafa y que la empresa había desaparecido del mapa sin entregar un solo ordenador.

Marta, 25 años, Alicante
Hace unos años, me compré un electrodoméstico de esos que anuncian por la tele. Era una máquina para hacer pan y tartas, y no sé qué más, que costaba 110 euros. Pagué con la tarjeta y, dos semanas más tarde, aún no había llegado. Llamé y me pidieron que esperara cinco días más porque había muchos pedidos. Al cabo de una semana, lo recibí, pero no tenía nada que ver con lo que anunciaban en la tele: ni hacía tartas ni era tan fácil como decían, y lo peor es que, para que funcionara, había que comprar un montón de productos especiales, carísimos, que solo te podían vender ellos. Total, que les llamé para devolverlo y entonces me dijeron que tenía que pagar el transporte de vuelta. Yo me negué y ellos me dijeron que no me podían devolver el dinero si no pagaba el transporte. Al final, pedí a mi banco que no pagara el cargo de la tarjeta de crédito y aún estoy esperando a que vengan a buscarlo.

Quim, 38 años, Barcelona
Hace dos años, empecé a buscar un piso de alquiler. Un día, vi en el periódico un anuncio de uno que estaba muy bien: bastante grande, muy bien situado y muy barato. Total, que llamé y me dijeron que ese ya estaba alquilado, pero que tenían una lista con pisos parecidos y que, si me interesaba, podía pasar por la agencia a recoger la hoja con los pisos. Me pareció extraño, pero fui. Allí me pidieron que rellenara un formulario con un montón de datos. Cuando les pregunté para qué era todo eso, me dijeron que la lista costaba 200 euros pero que me los devolverían al encontrar piso. Evidentemente, no pagué nada y me fui directamente a la Asociación de Consumidores para poner una queja. La asociación puso una denuncia contra la agencia y el juez los condenó a pagar una multa considerable.

B. Los tres casos están resumidos en estos recuadros, aunque las frases están desordenadas. Identifica las tres historias y ordena las frases.

C. ¿Qué crees que hay que hacer cuando te encuentras en una situación de este tipo? Coméntalo con tus compañeros.

> ● Yo creo que, si te piden que pagues algo y no lo ves claro, lo mejor es...

☐ Le pidieron que fuera a la agencia y que pagara a cambio de una lista de pisos.
☐ Llamó a una agencia para informarse sobre un piso.
☐ La justicia le dio la razón.
☐ No lo hizo y presentó una queja en una asociación de consumidores.
☐ Le dijeron que ese ya estaba alquilado, pero que tenían otros parecidos.

☐ Llamó y le dijeron que fuera ese mismo día a hacer una entrevista.
☐ Se enteró después de que todo era una estafa.
☐ Le ofrecieron empezar esa misma semana.
☐ Vio un anuncio de trabajo interesante en el periódico.
☐ Le pareció extraño y no aceptó el trabajo.
☐ Le pusieron una condición: comprar un ordenador y unos programas.

☐ Quiso devolverlo, pero le obligaban a pagar el transporte.
☐ Al final, no lo pagó, pero lo tiene todavía en casa.
☐ Adquirió un aparato de cocina por teléfono.
☐ Cuando llegó, el aparato no era como lo describía la publicidad.
☐ Tuvo que esperar mucho tiempo para recibir el producto.

3. MENSAJES

A. Raúl y Luis viven juntos. Raúl ha escuchado en el contestador tres mensajes para Luis y le ha dejado esta nota. Escúchalos y fíjate en la estructura marcada (**que** + Subjuntivo). ¿Para qué crees que sirve: para transmitir una información o para transmitir una petición?

LUIS:

1. HA LLAMADO TU MADRE. DICE <u>QUE</u> POR FAVOR <u>LA LLAMES</u> ANTES DE LAS TRES AL MÓVIL.

2. TAMBIÉN HA LLAMADO RITA. DICE <u>QUE LA RECOJAS</u> EN EL TRABAJO A LAS 19H.

3. Y TAMBIÉN TE HA DEJADO UN MENSAJE PATI. <u>QUE NO TE OLVIDES</u> DE COMPRAR EL VINO PARA LA CENA, Y <u>QUE TE AFEITES</u>.

Raúl

B. Ahora, piensa en cómo fue el mensaje original que Raúl ha resumido en la nota siguiente.

LUIS:

TE HAN LLAMADO TAMBIÉN DEL HOSPITAL, QUE NO ENCUENTRAN TU HISTORIAL MÉDICO Y QUE POR FAVOR LOS LLAMES.

Raúl

C. Comparad los mensajes originales que habéis preparado. ¿Son todos iguales?

4. ANA Y EVA

A. A Ana y a Eva hoy les han dicho cosas muy bonitas. Cuando han llegado a casa, se lo han contado a su familia. Relaciona cada imagen con su frase correspondiente.

A

B

□ Cásate conmigo.

□ Eres la mejor secretaria del mundo.

C

□ Hoy mi jefe me ha dicho que soy la mejor secretaria del mundo.

D

□ Esta tarde Jordi me ha pedido que me case con él.

Eva

Ana

B. Fíjate en que, cuando transmiten lo que les han dicho, en los dos casos se producen cambios de persona (**eres** la mejor ➡ **soy** la mejor / **cásate** ➡ que **me case**). En el segundo caso, se produce también un cambio de tiempo verbal.

Imperativo	Presente de Subjuntivo
cásate	(Me ha pedido que) **me case**

C. Lo malo es que, pasado el tiempo, las historias acabaron mal. Relaciona cada frase con su continuación.

A Aquel día mi jefe me dijo que era la mejor secretaria del mundo,

B Aquella tarde Jordi me pidió que me casara con él,

□ ... pero dos meses más tarde descubrí que me engañaba con otra y lo dejé.

□ ... pero un mes después me echaron a la calle.

D. Fíjate en los cambios que se producen al transmitir las frases originales un tiempo después y completa el cuadro.

Presente	Imperfecto de Indicativo
eres la mejor	(Me) dijo que .... la mejor
Imperativo	Imperfecto de Subjuntivo
cásate	(Me) pidió que ....

E. Fíjate en que también se producen cambios en los marcadores temporales. Intenta completar este cuadro.

hoy	*aquel día*
mañana	....
esta mañana/tarde/noche	....
la semana que viene	....
el mes/año que viene	....

PRETÉRITO IMPERFECTO DE SUBJUNTIVO

La raíz del Imperfecto de Subjuntivo es la misma que la de la tercera persona del plural del Pretérito Indefinido, a la que se le quita la terminación **-on** (comprar-**on**, comier-**on**, etc.). Las terminaciones son las mismas para todas las conjugaciones, incluidos los verbos irregulares.

hablar-	
comprar-	**-a**
comier-	**-as**
supier-	**-a**
hicier-	**-amos**
vivier-	**-ais**
dijer-	**-an**
produjer-	

> Este tiempo también se puede formar a partir de la tercera persona del Indefinido pero sin la -r final y con las terminaciones **-se, -ses, -se, -semos, -seis** y **-sen**: **comprase, comiese, viviese, supiese,** etc.

En español, algunas construcciones exigen el uso del Subjuntivo. Cuando el verbo principal de estas frases está en pasado (en Pretérito Imperfecto o en Indefinido) o en Condicional, el tiempo del Subjuntivo que se usa es, en general, el Pretérito Imperfecto de Subjuntivo.

verbo	+	**que**	+ Imperfecto de Subjuntivo
Quería		**que**	**respetaras** mis sentimientos.
Exigí		**que**	**me devolvieran** el dinero.
Me encantaría		**que**	**me prometieras** amor eterno.

verbo + adjetivo	+ **que**	+ Imperfecto de Subjuntivo
Me ponía nervioso	**que**	no **me dijera** la verdad.
Fue horrible	**que**	**estafaran** a la gente pobre.
Sería injusto	**que**	**tuviera** que pagar ese dinero.

verbo + sustantivo + **que**	+ Imperfecto de Subjuntivo
Busqué un trabajo	**que**	**me permitiera** seguir estudiando.

TRANSMITIR ÓRDENES, PETICIONES Y CONSEJOS

Deberías comprarte un coche nuevo

¡Pasa esta tarde por casa!

¿Por qué no me ayudas a hacer los ejercicios? Por favor...

Cuando la orden está aún vigente, es decir, cuando la orden aún se puede cumplir, se transmite mediante la estructura **que** + Presente de Subjuntivo.

Le ha dicho que pase esta tarde por su casa.
Le ha pedido que le ayude a hacer los ejercicios.
Le ha recomendado que se compre un coche nuevo.

Cuando la orden ya no está vigente, es decir, cuando no se puede cumplir o se ha cumplido ya, se transmite mediante la estructura **que** + Imperfecto de Subjuntivo.

Le dijo que pasara esa tarde por su casa.
Le pidió que le ayudara a hacer los ejercicios.
Le recomendó que se comprara un coche nuevo.

TRANSMITIR LAS PALABRAS DE OTROS EN EL PASADO

ESTILO DIRECTO
En el estilo directo citamos textualmente las palabras dichas.

Esta noche salimos. ➡ **Le ha dicho:** "Esta noche salimos".
Ana, estás muy guapa. ➡ **Le dijo:** "Ana, estás muy guapa".
Siéntese aquí, por favor. ➡ **Dijo:** "Siéntese aquí, por favor".

ESTILO INDIRECTO
En el estilo indirecto a veces cambiamos los tiempos verbales.

Presente	Verbo + **que** + Presente
Trabajas demasiado. ➡ Le ha dicho **que trabaja** demasiado.
Presente	Verbo + **que** + Imperfecto de Ind.
Tienes buen aspecto. ➡ Le dijo **que tenía** buen aspecto.

Imperativo	Verbo + **que** + Imperativo
Llámale.	➡ Le ha dicho **que le llame**.
Imperativo	Verbo + **que** + Imperfecto de Subj.
Siéntese, por favor.	➡ Le dijo **que se sentara**.

También sufren transformaciones otras palabras que tienen que ver con el contexto: tiempo, espacio, personas que hablan...

Le dijo que...

Llega **hoy**.	llegaba **ese/aquel día**.
Llega **mañana**.	llegaba **el día siguiente**.
Llega **esta** tarde.	llegaba **esa/aquella** tarde.
Llega **dentro de** tres días.	llegaba **al cabo de** tres días.
Quédate **aquí** (en Cuenca).	se quedara **allí**. (si quien habla no está en Cuenca)
Prueba **esto**.	probara **eso/aquello**.
Ven a Madrid.	**fuera** a Madrid. (si quien habla no está en Madrid)
Trae los periódicos a casa.	**llevara** los periódicos. (si quien habla no está en esa casa)
Mi hermana se llama Ana.	**su** hermana se llamaba Ana.

PRACTICAR Y COMUNICAR

5. ¡VAYA LÍO!

A Lázaro le regalaron hace una semana unos pantalones. Como le iban pequeños y no le gustaban mucho, decidió cambiarlos por otros, pero no fue nada fácil. Lee esta conversación que ha tenido hoy Lázaro con un amigo e intenta reconstruir todas las conversaciones que tuvo sobre el asunto.

- ¡Qué pantalones tan bonitos, Lázaro!
- No me hables, que me han dado una cantidad de problemas…
- ¿Y eso?
- Pues, resulta que el otro día mi madre me regaló unos pantalones de Modas Tara y me dijo que, si no me gustaban, los podía ir a cambiar.

- Y no te gustaban…
- No mucho, la verdad. Además, me iban muy pequeños.
- ¿Y qué hiciste?
- Pues, primero, los llevé a la tienda de la calle Princesa y allí me dijeron que no me los podían cambiar porque los había comprado en otra tienda.

- Ya.
- O sea, que fui a la tienda del Paseo Picasso y allí me pidieron el tíquet de compra.
- ¿Y lo tenías?
- Pues no. Y me dijeron que, sin tíquet, no me los podían cambiar.

- Hombre, eso siempre es así, ¿no?
- Sí, supongo. Bueno, la cuestión es que tuve que ir a casa a buscar el tíquet y, cuando volví a la tienda, me dijeron que, del modelo que quería, ya no quedaban de mi talla, y que les llegarían más la semana siguiente.

- O sea, ¿que esperaste una semana?
- No, les dije que en la tienda de la calle Princesa sí que había de mi talla y que si podían llamar allí y pedir que me trajeran unos.
- ¿Y lo hicieron?
- Sí, sí, al final los pude cambiar.
- Pues vaya lío para cambiar unos pantalónes.
- Pues sí, la verdad.

Son muy bonitos, mamá, pero igual me quedan un poco pequeños, ¿no?

6. ¿TIENE USTED EXPERIENCIA?

A. Hace 15 días, Sandra vio un anuncio de trabajo en el periódico. Le interesó y, ese mismo día, llamó por teléfono para informarse sobre el puesto. Unos días más tarde, tuvo una entrevista. Vamos a dividir la clase en dos grupos: A y B. El grupo A va a oír la primera conversación de Sandra y a tomar notas de todo lo que sucede: con quién habló, qué le preguntaron, qué le dijeron, etc. Mientras tanto, el grupo B espera fuera de la clase. Luego, lo haréis al revés con la segunda conversación.

B. Ahora, en parejas formadas por un miembro del grupo A y otro del B, vais a poner en común toda la información que habéis recogido. ¿En qué consiste el trabajo? ¿Te gustaría hacerlo? Coméntalo con tu compañero.

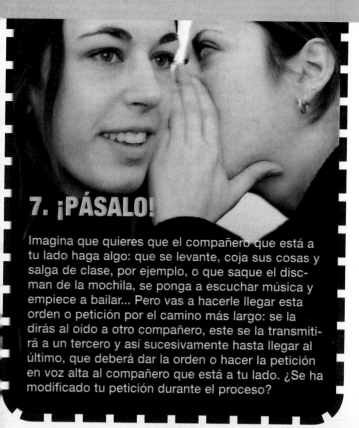

7. ¡PÁSALO!

Imagina que quieres que el compañero que está a tu lado haga algo: que se levante, coja sus cosas y salga de clase, por ejemplo, o que saque el disc-man de la mochila, se ponga a escuchar música y empiece a bailar... Pero vas a hacerle llegar esta orden o petición por el camino más largo: se la dirás al oído a otro compañero, este se la transmitirá a un tercero y así sucesivamente hasta llegar al último, que deberá dar la orden o hacer la petición en voz alta al compañero que está a tu lado. ¿Se ha modificado tu petición durante el proceso?

8. CUENTA TUS EXPERIENCIAS

A. Piensa en alguna experiencia interesante que hayas tenido. Resúmela por escrito y, después, cuéntasela a tus compañeros. Si no recuerdas ninguna, puedes inventártela. Aquí tienes algunas ideas.

➜ *Una vez que quise devolver una cosa en una tienda y fue un poco complicado.*

➜ *Una vez que hice una reserva en un restaurante o en un hotel y no lo habían anotado.*

➜ *Una vez que en un examen me pusieron una nota injusta y protesté.*

➜ *Una vez que participé en un juicio.*

B. ¿Quién ha contado la historia más increíble? ¿Y la más divertida? ¿Alguien ha contado una historia falsa?

9. PAREJAS, MENTIRAS Y PISOS DE ALQUILER

A. Fran y Paca tienen un conflicto. Hace una semana, decidieron que iban a alquilar un piso juntos. Escucha la conversación que tuvieron aquel día y anota en tu cuaderno qué dijo cada uno sobre las características del piso que les gustaría encontrar y sobre la búsqueda del piso.

B. Esa misma tarde, Paca fue a ver un piso de alquiler y le encantó. Como había otras personas interesadas, se decidió: firmó el contrato por un año y pagó por adelantado 1800 euros en concepto de los tres primeros meses de alquiler. A Fran no le pareció bien. Lee este correo para entender cómo está ahora la situación.

C. ¿Crees que Fran debe pagar la mitad de los 1800 euros? Debatidlo en clase. Luego, en pequeños grupos, y según vuestra opinión, podéis responder al correo de Paca en nombre de Fran.

- Yo creo que Fran tiene que pagar...
- ¿Por qué?
- Por varias razones. Primero, porque...

	☐ El piso
Asunto:	El piso
▷ Archivos adjuntos: 0	

Fran:

Como no he podido hablar contigo por teléfono en todo el día (¡¡siempre tienes el móvil desconectado!!), te escribo este correo. Creo que tenemos que solucionar de una vez el asunto del piso. Si ahora dices que no quieres vivir conmigo, aunque me parece fatal, lo acepto. Pero lo que no puedo aceptar de ningún modo es que no quieras pagar lo que te corresponde. El lunes tú me dijiste que querías compartir piso conmigo, pero que no podías ir a visitar pisos porque tenías que entrenar. Vale. Me dijiste que lo hiciera yo, y eso es lo que hice. Encontré una oportunidad perfecta, un piso fantástico y a buen precio, y pagué la fianza. Lo mismo que hubieras hecho tú. ¡Y ahora dices que no quieres compartir piso conmigo y que no piensas pagarme la mitad del dinero que pagué! ¡Es increíble!

Me parece muy injusto. Solo te pido que seas un poco responsable y que pagues tu parte.

Espero tu respuesta.

Paca

10. OPINIONES DE UN ARQUITECTO

Oriol Bohigas es un conocido arquitecto y urbanista catalán. Lee esta entrevista que le hicieron en un periódico de Málaga. ¿Crees que los fenómenos de los que habla Bohigas se dan también en tu país? ¿Qué te parecen sus opiniones?

ORIOL BOHIGAS

Nacido en Barcelona en 1925, este doctor en Arquitectura trabaja asociado a los arquitectos Martorell y Mackay y fue el inspirador de la política urbanística de Barcelona durante la preparación de los Juegos Olímpicos de 1992.

Por Javier García Recio
para el periódico **La Opinión de Málaga**

Usted es muy crítico con la arquitectura moderna. ¿Es tan malo lo que se construye?
- El panorama de la arquitectura moderna en España y en Europa es tristísimo. Si dejamos a un lado esa arquitectura selecta y espectacular, que es muy poco común y que solo aparece en las revistas, a partir de los años 50 la arquitectura es horrible. Vamos a una ciudad y vemos un buen edificio entre una multitud de edificios vulgares. Esto ocurre porque, hasta la mitad del siglo XX, los arquitectos corrientes imitaban a los grandes y se hacía arquitectura funcional, neogótica o clásica con corrección. Ahora ocurre todo lo contrario. Nadie imita ningún modelo porque los arquitectos se empeñan en crear modelos inimitables

- **¿Por qué razones?**
- Las razones son fundamentalmente económicas. Hoy en día, el que manda en la construcción es el promotor, que suele ser una persona de escasa cultura y que no sabe nada de arquitectura. Los promotores del siglo XIX, en cambio, eran en general personas cultas y con conocimientos de arquitectura. Ahora se construye para ganar dinero de manera inmediata.

- **¿Es esta mala arquitectura culpable del despoblamiento de las ciudades?**
- No, eso se debe a que actualmente ya no se cree que las ciudades deban ser compactas. La expansión actual de las ciudades responde también a motivos económi-

cos. Se construye en el extrarradio porque es más barato y porque, de entrada, no hay que participar en gastos generales, ya que al principio, no hay escuelas, bibliotecas ni carreteras. Después, cuando el barrio ya está construido, es cuando llegan la carretera, el tranvía y la escuela. En realidad, al final resulta mucho más caro porque hay que trasladar los servicios muy lejos, lo que implica gastos muy elevados.

- **¿Qué opina del continuo deterioro de los cascos antiguos de las ciudades?**
- Por un lado, es lógico que estos cascos sean viejos y envejezcan, puesto que las formas de vida actuales ya no se corresponden con esas casas antiguas y esas calles estrechas. Pero, por otro lado, esos centros continúan siendo enormemente interesantes: en ellos sigue estando la catedral, el ayuntamiento y las calles más bellas y representativas. Los centros históricos serían el mejor lugar para vivir si se hicieran reformas suficientemente buenas para no hacerles perder su identidad y, al mismo tiempo, satisfacer las necesidades actuales.

- **¿Es grave que casi no se construyan viviendas protegidas?**
- Pues sí. Algunos de los mejores arquitectos del siglo XX diseñaron viviendas para obreros en Alemania y en Austria. Yo espero que algún día se vuelvan a hacer. Para ello, habrá que tener en cuenta el problema de la ubicación de las viviendas de protección. Hasta ahora, se han construido casi siempre fuera de la ciudad y en terrenos baratos. Esto ha provocado que las clases más desfavorecidas vivieran juntas y se crearan guetos. Habría que obligar a que las viviendas económicas y las caras estuvieran en el mismo edificio o, por lo menos, en la misma zona. En el siglo XIX, eso era así porque la división social se hacía por alturas. En el principal, vivía el señor, en medio, la clase media, y arriba, los pobres. Creo que deberíamos volver a ese modelo.

Es uno de los arquitectos más influyentes de España y de más prestigio. Lo que él opina siempre se escucha con respeto y casi siempre crea controversia. Sus rotundas opiniones invitan a la reflexión.

10

AMÉRICA

En esta unidad vamos a

hacer un concurso para comprobar nuestros conocimientos sobre Latinoamérica

Para ello vamos a repasar:

> recursos para narrar acontecimientos del pasado
> recursos para referir lo que han dicho otros en el pasado
> los tiempos del pasado > los usos del Presente de Subjuntivo
> cómo expresar conocimiento y desconocimiento sobre un tema

1. LATINOAMÉRICA

A. Observa el mapa y las ilustraciones de la izquierda. ¿A qué país se refiere cada una de estas informaciones?

1. *La música de mariachi es la música popular de* ....

2. *En* .... *se encuentran las ruinas mayas de Copán.*

3. *El pintor y escultor Fernando Botero es probablemente el artista plástico más conocido de* ....

4. *El café es uno de los principales productos de* ....

5. .... *es uno de los principales productores de vino de Latinoamérica.*

6. .... *es un país perfecto para practicar el ecoturismo, ya que cuenta con más de 20 parques naturales y 8 reservas biológicas.*

7. *El tango es la música más característica de Uruguay y de* ....

8. *Los tejidos mayas, que destacan por su gran colorido, son uno de los productos típicos de* ....

9. *El béisbol es el deporte más popular de* ....

10. *Para visitar el Machu Picchu, el famoso conjunto arqueológico inca, tienes que ir a* ....

11. *La principal atracción de Punta Cana, una conocida zona turística de* ...., *son sus 40 kilómetros de playas de aguas transparentes y arenas blancas.*

12. *En 1952* .... *se convirtió en un estado independiente asociado a Estados Unidos.*

13. *Un canal de 80 kilómetros de largo, que va desde el Atlántico hasta el Pacífico, cruza* ....

14. *El volcán de Santa Ana es el más alto de* ....

15. *Las Cataratas de Iguazú se encuentran entre* ...., *Argentina y Brasil.*

16. *El monumento de la Mitad del Mundo se encuentra muy cerca de Quito, la capital de* ...., *y marca la latitud 0°.*

17. *La ciudad de La Paz, capital de* ...., *está rodeada por la cadena montañosa de los Andes y es la capital más alta del mundo.*

18. *El petróleo es una de las riquezas naturales de* ....

19. *El mate es la bebida más característica de Argentina y de* ....

B. ¿Te ha sorprendido alguna de estas informaciones? Coméntalo con tus compañeros.

· Yo no sabía que La Paz era la capital más alta del mundo...

C. ¿Qué países latinoamericanos conoces mejor? ¿Qué sabes sobre ellos? Cuéntaselo a tus compañeros.

· Yo tengo un amigo que es peruano, de Lima, y me ha contado que...

2. ¿QUÉ HACE QUE MI PAÍS SEA TAN ESPECIAL?

A. Lee lo que han escrito algunos estudiantes latinoamericanos sobre sus respectivos países en un foro de Internet. Luego, intenta escribir un eslogan publicitario para cada país.

Foro Latino

➡ **Bolivia:** Mi país es especial por su situación geográfica; lo llaman "el corazón de Sudamérica". También es especial porque posee abundantes riquezas naturales y porque tiene todos los climas del mundo. Bolivia es un país multiétnico y pluricultural lleno de contrastes y de leyendas. *Carlos Mario, 16 años*

➡ **Chile:** Como mi país, no hay ninguno. Chile tiene climas para todos los gustos; por el norte, cálido-seco; por el sur, húmedo-frío; al oeste, las costas, con sus hermosas playas; y al este, la cordillera de los Andes. Es realmente hermoso ver, en pleno invierno, a un lado, el mar, y, al otro, la cordillera nevada. *Rosaura, 21 años*

➡ **Ecuador:** Ecuador huele a caña dulce, a naranja y a manzana, y sabe a piel morena, a piel negra y a piel blanca. En mi país se escucha la risa del mar, la furia de los volcanes y el correr del agua. Tiene playas, selvas, bosques y montañas. Viven aves, viven flores, viven peces y vive su gente, tan diversa, tan alegre, tan amable y tan cálida. Por ser Ecuador la mitad del mundo, del mundo tiene lo mejor. *Ana Cristina, 18 años*

➡ **El Salvador:** El Salvador es la nación más pequeña de Centroamérica pero la más grande en el corazón de los salvadoreños, un pueblo alegre y muy hospitalario con los visitantes. Mi país tiene historia, bellas playas y muchas especies de aves, mariposas, etc. El Salvador, mi tierra, tan pequeña pero tan grande en mi corazón. *Luis Alfonso, 15 años*

➡ **México:** El valor de mi país radica en su gente, que es mezcla de indio, europeo y negro. Los mexicanos saben valorar las cosas buenas de la vida, saben reír y, en los malos momentos, saben ser solidarios. Como México no hay dos: México es un arco iris de climas, regiones, fauna, flora y recursos minerales. *Efrén, 21 años*

➡ **Nicaragua:** Nicaragua es una tierra de lagos y de volcanes. Mi gente es alegre, luchadora y vive con la esperanza de un mañana mejor. Nuestra belleza natural no tiene igual. *Estela, 18 años*

➡ **Perú:** En un rincón de América hay un país donde se oyen, en las mañanas, las canciones del pasado entonadas en una caracola; en las tardes, se ve al cóndor planear, y las noches se iluminan con todas las estrellas que Dios le regaló a su cielo. Perú es un mágico lugar donde se mezcla la brisa del mar, la nieve de los Andes y el calor tropical. *Nati Velit, 16 años*

B. Ahora, vas a escuchar a un argentino, a una colombiana y a una cubana hablar de su país. ¿Qué tiene de especial su país para ellos? Anótalo y, luego, coméntalo con tus compañeros.

C. ¿Qué hace que tu país sea especial para ti? Escríbelo.

3. QUETZALCÓATL

A. Las leyendas son muchas veces maneras de interpretar el origen del mundo o de las cosas y pueden esconder una lección moral. Lee esta leyenda. ¿Qué te parece que explica? ¿Contiene una lección moral?

QUETZALCÓATL Y LOS TOLTECAS

La creación **había terminado** y los dioses y los humanos **vivían** en paz. Todos **parecían** satisfechos, menos el dios Quetzalcóatl, que **pensaba** que los humanos no **eran** tratados dignamente por los dioses.

–¿Qué te pasa, hermano? –le **preguntó** Huitzilopochtli.

–Miro a los humanos y veo que están contentos, pero viven en la ignorancia, sin conocimientos... –**respondió** Quetzalcóatl.

–¿Y qué harás? ¿Piensas darles el conocimiento, que es algo propio de los dioses? Ya sabes que mis otros dos hermanos no te permitirán hacer eso –**dijo** refiréndose a Tezcatlipoca y a Xipe Topec.

–Eso mismo es lo que haré –**replicó** Quetzalcóatl–. Bajaré a la Tierra y enseñaré a los hombres una vida diferente y, si para eso tengo que renunciar a ser dios, lo haré.

Y así **hizo**. **Bajó** a la tierra y, convertido en hombre, Quetzalcóatl **sintió** por primera vez el hambre, el frío y el cansancio. Como **estaba** agotado, **se sentó** a la sombra de un árbol y **se durmió**. Quetzalcóatl **soñó** entonces con una fila de hormigas en la que cada hormiga **llevaba** un grano de maíz, así que **decidió** hacerse del tamaño de ellas y seguirlas para saber de dónde **habían sacado** aquellos granos maravillosos. En sueños, **trabajó** con las hormigas y, cuando **despertó**, a su lado **había** un montón de maíz. Lo **metió** en un saco y **se encaminó** hacia la ciudad más importante de aquel tiempo: Tollán. Cuando Quetzalcóatl **llegó** a la ciudad, se **estaba** celebrando un sacrificio humano en honor a Tezcatlipoca. Quetzalcóatl **paró** el sacrificio y **ordenó** que nunca más se realizaran sacrificios humanos.

– ¿Cómo te atreves a desafiar a los dioses? –**preguntó** el sacerdote– Vas a traernos la ira de Tezcatlipoca.

Quetzalcóatl **calmó** al sacerdote y a los demás habitantes de Tollán y les **dijo** que <u>no tuvieran</u> miedo y que <u>confiaran</u> en él. Desde ese día, Tollán **prosperó** enormemente. Quetzalcóatl **enseñó** a los toltecas a cultivar el maíz, a trabajar el oro y mil cosas más. **Prohibió** los sacrificios humanos, **impulsó** el culto al sol y **creó** una orden de sacerdotisas que **mantenían** los templos. Al principio, los hombres lo **querían** adorar, pero Quetzalcóatl no **aceptó** que lo trataran como a un dios y **rechazó** todos los lujos y privilegios. Pero Tezcatlipoca no **estaba** contento e **ideó** un plan para acabar con el prestigio de Quetzalcóatl. Un día, Tezcatlipoca **fue** a Tollán, disfrazado de hombre viejo. **Se arrodilló** ante Quetzalcóatl y le dijo que <u>tenía</u> para él un regalo único. Este le preguntó qué <u>era</u> y el viejo le **respondió** que <u>era</u> un delicioso líquido blanco que él mismo <u>había preparado</u>. Quetzalcóatl lo **probó** y le **pareció** realmente maravilloso (en realidad <u>era</u> pulque, una bebida alcohólica). Aquella noche Quetzalcóatl **bebió** todo el pulque que le **había dado** su hermano y **se comportó** como nunca lo **había hecho: cantó, bailó, sintió** por primera vez deseo sexual e **hizo** el amor con una sacerdotisa.

Al día siguiente, cuando **vio** que **había roto** sus votos, **se sintió** sucio y avergonzado y **buscó** al creador de aquella terrible bebida. Como no lo **encontró**, **habló** a los toltecas y les dijo que ya no <u>era</u> digno de dirigir Tollán, y que por eso <u>abandonaba</u> la ciudad y <u>se iba</u> a reflexionar sobre sus pecados. Los sacerdotes le **pidieron** por favor que no <u>se fuera</u>, que <u>se quedara</u> para continuar siendo su guía, pero él no **cedió**. Con un grupo de hombres, Quetzalcóatl **fue** hasta el mar y **se puso** a llorar. El dios **construyó** una barca hecha de serpientes y **se dirigió** hacia donde se pone el sol, pero antes **prometió** a los toltecas que volvería algún día a Tollán.

B. Fíjate en los verbos que están marcados en negrita. ¿Para qué los usamos en el relato? Colócalos en el lugar del cuadro correspondiente.

C. Fíjate ahora en los verbos que están subrayados y en cómo los usamos en el discurso indirecto. Colócalos en el lugar del cuadro correspondiente.

En el relato usamos...

el Pretérito Indefinido para contar los hechos que hacen avanzar el relato	el Pretérito Imperfecto para describir las circunstancias, lo que rodea la acción	el Pretérito Pluscuamperfecto para marcar acciones anteriores a otro hecho pasado

Para referir las palabras que otros han dicho en el pasado usamos...

el Pretérito Imperfecto para referir lo que alguien dijo en Presente	el Pretérito Pluscuamperfecto para referir lo que alguien dijo en Pretérito Perfecto o en Indefinido	el Imperfecto de Subjuntivo para referir lo que alguien dijo en Imperativo o para transmitir una orden o una petición

4. UN LUGAR PARA...

A. Estas tres personas tienen la posibilidad de vivir, durante una temporada, en un país de América Latina. Cada uno tiene gustos y necesidades diferentes. Lee lo que dicen y decide qué país le puedes recomendar a cada uno.

1. Marcos, 38 años, ingeniero
"Mi empresa me ha ofrecido pasar un año en un país de América Latina. Lo bueno es que me dejan elegir el país. En principio, vamos a ir toda la familia: mi mujer, mis dos hijas y yo. Nos gustaría ir a un país que tenga montañas altas y, a poder ser, buenas pistas de esquí porque nos encanta la montaña, ir a esquiar y todo eso. Es básico que haya colegios internacionales porque queremos que nuestras hijas sigan estudiando en inglés y en alemán. Mi mujer y yo también somos bastante "urbanitas", o sea que nos gustaría vivir en una ciudad grande, con buenos cines, teatros, museos, etc. Y si tiene mar, mejor."

2. Alejandro, 32 años, arquitecto
"Hace cinco años que trabajo en una constructora que tiene oficinas en toda América. Le he pedido a mi jefe que me envíen a alguna de nuestras filiales para adquirir experiencia internacional y es muy probable que me digan que sí. Lo que pasa es que aún no he decidido adónde ir. Voy a ir con mi novia; a ella le apetece que vayamos al Caribe, pero yo no estoy muy convencido. Para mí, es esencial que la ciudad sea interesante desde el punto de vista urbanístico y que tenga mucha vida cultural. Mi otra pasión es la arqueología y, por eso, mi gran ilusión es vivir en un país que tenga restos arqueológicos importantes y buenos museos."

3. Laura, 33 años, bióloga
"Yo soy bióloga especializada en flora tropical. Estoy trabajando en la universidad y mi jefe de departamento quiere que pase un año haciendo investigación de campo en alguna selva de América. La verdad es que estoy encantada de que me envíen un año fuera, porque necesito desconectar. El problema es que aún no sé adónde ir. Lógicamente, tiene que ser un país que tenga selva tropical y, si es en Centroamérica, mejor. Creo que sería interesante poder hacer la investigación en algún parque natural, porque en los parques es más fácil que la gente entienda tu trabajo e incluso que te ayuden, ya que están muy acostumbrados a ver investigadores. ¡A ver si hay suerte!"

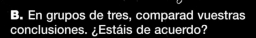

B. En grupos de tres, comparad vuestras conclusiones. ¿Estáis de acuerdo?

C. Ahora, busca en los tres textos las estructuras que tienen Presente de Subjuntivo y subráyalas. De esta forma, podrás revisar los usos de este tiempo que hemos visto a lo largo del curso.

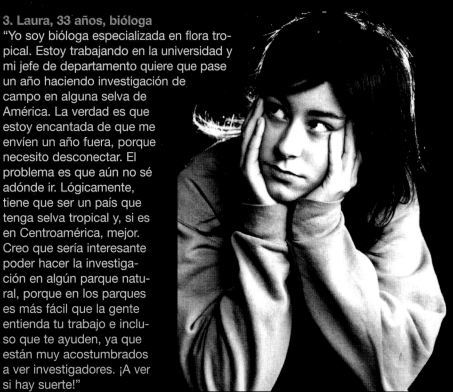

5. ¿QUÉ SABES DE...?

Vamos a dividir la clase en dos grupos: A y B. Cada grupo se prepara por separado: tiene que encontrar las respuestas a las quince preguntas de su cuestionario (en caso de duda, el profesor tiene la solución) y, luego, tiene que escribir cinco preguntas más. Finalmente, por turnos, cada grupo hace sus veinte preguntas al otro.

GRUPO A

1. Uno de estos productos no es originario de América. ¿Cuál?

☐ el tomate
☐ el tabaco
☐ la caña de azúcar

2. ¿Cuál es la moneda del Perú?

☐ el nuevo sol
☐ el peso
☐ el bolívar

3. Machu Picchu significa en lengua quechua...

☐ cóndor volador
☐ montaña vieja
☐ dios pájaro

4. ¿Qué famoso escritor pasó largas temporadas en La Habana?

☐ Ernest Hemingway
☐ Edgar Allan Poe
☐ Jorge Luis Borges

5. El lago Maracaibo, el más grande de Sudamérica, está en...

☐ Perú
☐ Venezuela
☐ Colombia

6. ¿En qué país nació el Che Guevara?

☐ En Cuba
☐ En Argentina
☐ En Chile

7. Paraná, Paraguay, Arauca y Orinoco son...

☐ lagos
☐ volcanes
☐ ríos

8. ¿Cuál de las siguientes películas es de producción mexicana?

☐ *Amores perros* (2001)
☐ *Todo sobre mi madre* (1999)
☐ *El hijo de la novia* (2002)

9. ¿Qué famosa actriz y cantante pidió a Argentina que no llorara por ella después de su muerte?

☐ Eva Perón
☐ Maria Félix
☐ Lola Flores

10. Si tuvieras problemas para respirar y sintieras dolores de cabeza por la altitud, ¿en qué ciudad estarías?

☐ Buenos Aires
☐ La Paz
☐ Tegucigalpa

11. El primer país americano que se independizó de España fue...

☐ Bolivia
☐ Venezuela
☐ Argentina

12. La ciudad imaginaria de las novelas de Gabriel García Márquez se llama...

☐ Cochabamba
☐ Chachapoyas
☐ Macondo

13. Las coordenadas 0° 0´ 0´´ corresponden al volcán Cayambe, que está en...

☐ Bolivia
☐ Perú
☐ Ecuador

14. *La casa de los espíritus* es una novela de...

☐ Julio Cortázar
☐ Isabel Allende
☐ Mario Vargas Llosa

15. Las ruinas de Tenochtitlan están en...

☐ Costa Rica
☐ Guatemala
☐ México

GRUPO B

1. Si fueras de vacaciones a las islas Galápagos, deberías sacar un visado para…

☐ Chile
☐ Argentina
☐ Ecuador

2. ¿Qué ciudad fue fundada sobre el lago Texcoco por los aztecas?

☐ México DF
☐ Lima
☐ Managua

3. ¿Cuál de estos productos no exporta Cuba?

☐ tabaco
☐ fresas
☐ ron

4. ¿En cuál de estos países no se habla el español?

☐ Puerto Rico
☐ Haití
☐ Panamá

5. ¿Qué país latinoamericano es conocido como "la república de las bananas" porque el 65% de la población trabaja en el cultivo de ese fruto?

☐ El Salvador
☐ México
☐ Honduras

6. El merengue es el baile nacional de…

☐ Costa Rica
☐ la República Dominicana
☐ Cuba

7. "Muchos años después, frente al pelotón de fusilamiento, el coronel Aureliano Buendía había de recordar aquella tarde remota en que su padre lo llevó a conocer el hielo." Son las primeras líneas de la novela…

☐ *Rayuela*, de Julio Cortázar
☐ *Cien años de soledad*, de Gabriel García Márquez
☐ *Como agua para chocolate*, de Laura Esquivel

8. Si en un bar, un camarero te dice "¿Qué querés tomar?", ¿en cuál de estos países estás?

☐ En México
☐ En Argentina
☐ En Cuba

9. La isla de Pascua pertenece a Chile y también se la conoce con el nombre de…

☐ Isla Margarita
☐ Rapa-Nui
☐ Cozumel

10. En algunos países americanos, como por ejemplo en Perú, se come pescado crudo marinado en limón. Este plato se llama…

☐ tamal
☐ ceviche
☐ guacamole

11. ¿Qué país de habla hispana es uno de los grandes productores de café del mundo?

☐ Paraguay
☐ Colombia
☐ Uruguay

12. Unos amigos tuyos han vuelto de viaje y te han traído chocolate de Oaxaca y tequila. ¿Dónde han estado?

☐ En México
☐ En El Salvador
☐ En Perú

13. ¿Cuál es la capital de Paraguay?

☐ Asunción
☐ Bogotá
☐ San José

14. El Canal de Panamá fue inaugurado en…

☐ 1851
☐ 1914
☐ 1975

15. Las Cataratas de Iguazú están situadas entre…

☐ Argentina, Bolivia y Uruguay
☐ Argentina, Brasil y Paraguay
☐ Argentina, Bolivia y Chile

6. EL "SPANGLISH"

A. Lee el siguiente texto y, luego, comenta con tus compañeros qué es el "spanglish". ¿Consideráis que es una lengua?

EL "SPANGLISH": ¿UN NUEVO IDIOMA?

Si vas a California, es posible que alguien te diga *guachau* para prevenirte de un peligro. En Nueva York, muchos *vacunean la carpeta* cuando quieren pasar la aspiradora, y en Miami, no es raro oír a alguien decir *I don't care a whistle* cuando algo le importa "un pito". Los cerca de 40 millones de personas de origen hispano que residen en Estados Unidos utilizan, en mayor o menor medida, el "spanglish", un fenómeno lingüístico que enfrenta a los académicos y espanta a los puristas, y que aparece definido en el *Diccionario de la Lengua Española* de Ma-nuel Seco como "idioma español hablado con abundancia de anglicismos". Sin embargo, no se puede afirmar que el "spanglish" sea un fenómeno lingüístico uniforme, ya que poco se parece el "cubonics" de los cubanos de Florida con el "nuyorrican" de los puertorriqueños de Nueva York o con el "chicano" de Texas y California.

Los medios de comunicación han tenido y tienen un papel primordial en el uso y sobre todo en la difusión del "spanglish". Revistas dirigidas a un público latinoamericano como *Latina* o *Generation Ñ* promueven esa "lengua híbrida" a través de artículos y de eventos. Hace poco, la marca de pasta dentífrica Colgate lanzó una campaña de anuncios televisivos en "spanglish" y escritoras como las puertorriqueñas Giannina Braschi y Ana Lydia Vega solo escriben en puro "spanglish". Pero, sin duda, uno de los principales artífices del boom de este fenómeno en Estados Unidos es el polémico escritor mexicano Ilán

Stavans, titular de la primera cátedra de "spanglish", en el Amherst College de Massa-chussets, y autor de la primera versión de *El Quijote* en "spanglish". Stavans define esta lengua híbrida como "un mestizaje verbal donde Shakespeare y Cervantes, en una maniobra digna de los directores de *The Matrix*, sincronizan sus identidades". Stavans incluso va más allá con su predicción de que "en 200 o 300 años la gente probablemente se comunicará en un idioma que no será ni el español ni el inglés de la actualidad, sino una mezcla de los dos".

BREVE DICCIONARIO

bildin: edificio (*building*)
buche: arbusto (*bush*)
carpeta: alfombra (*carpet*)
chores: pantalones cortos (*shorts*)
imeiliar: enviar un correo electrónico
marqueta: mercado (*market*)
parquear: aparcar (*to park the car*)
rentar: alquilar (*to rent*)
rufo: tejado (*roof*)
taipear: escribir a máquina (*to type*)
yarda: jardín (*yard*)

B. ¿Cómo crees que va a evolucionar el "spanglish"? ¿Crees que puede hacer desaparecer la lengua española? Coméntalo con tus compañeros.

→ **MÁS**

1. ¿SE TE DAN BIEN LAS LENGUAS?

1. Marca en cada caso la continuación correcta.

1. A mi hermano le dan miedo...
   - [ ] subirse a lugares altos.
   - [ ] las alturas.

2. Se me da muy bien...
   - [ ] los niños.
   - [ ] trabajar con niños.

3. A Laura le da mucha vergüenza...
   - [ ] salir a la calle en pijama.
   - [ ] sus zapatillas de estar por casa.

4. Me resulta muy difícil...
   - [ ] algunos sonidos del español.
   - [ ] pronunciar bien el español.

5. Me cuesta...
   - [ ] hacer bien los exámenes orales.
   - [ ] los exámenes orales.

6. A algunas personas les cuesta mucho...
   - [ ] las dietas muy estrictas.
   - [ ] adelgazar.

2. Relaciona el principio de cada frase con su continuación más lógica.

1. Vive en una casa fea y muy pequeña aunque
2. Son muy buenos amigos aunque
3. Habla muy bien español aunque
4. Es muy buen estudiante aunque
5. Llevan al niño a todas partes aunque
6. Compraron un coche carísimo aunque
7. Le encanta su trabajo aunque
8. Toca muy bien el piano aunque

a. a veces pasan largas temporadas sin verse.
b. no tienen mucho dinero.
c. nunca ha vivido en un país de habla hispana.
d. tiene un sueldo bastante bajo.
e. solo tiene 8 meses.
f. es riquísimo.
g. es un poco desorganizado.
h. nunca ha estudiado música.

1		3		5		7	
2		4		6		8	

3. ¿Qué puedes decir sobre estas personas? Escribe frases utilizando estas estructuras.

A mi profe/a de español A mi novio/a A algunos políticos A algunos/as de mis amigos/as A mí A...	(no)	(se)	me le les nos	cuesta da vergüenza/miedo... da bien/mal resulta fácil/difícil/imposible...	hablar en público hablar español/inglés... mentir bailar en público escribir mensajes en el móvil desnudarse en público cocinar ...

. . . .

. . . .

. . . .

. . . .

. . . .

4. Todas estas frases se refieren a Arturo, el señor de la ilustración. Imagina un final para cada una de ellas.

1. Aunque juega al tenis dos veces por semana,

....

2. Tiene dos niños preciosos aunque ....

....

3. Aunque gasta mucho dinero en ropa de marca y en productos de cuidado personal, ...

....

4. Su madre le llama "Arturito" aunque ....

....

5. Elige dos de los siguientes tipos de personas y descríbelos: qué cosas se les dan bien, qué cosas les cuestan, etc.

El profe de español perfecto
El estudiante perfecto
El novio perfecto
La novia perfecta

El padre perfecto
La madre perfecta
El hermano perfecto
La hermana perfecta

Al profe de español perfecto se le da muy bien explicar la gramática. No le cuesta nada ayudar a sus estudiantes...

. . . .

. . . .

. . . .

. . . .

. . . .

6. Transforma las siguientes frases como en el modelo. Fíjate en que, en las dos frases, la información es la misma; la diferencia es que en la segunda hay un matiz de involuntariedad.

1. Juan Pedro ha perdido los documentos.

A Juan Pedro se le han perdido los documentos.

2. He perdido las llaves.

....

3. Hemos olvidado tu regalo en casa.

....

4. He roto el espejo del pasillo.

....

5. ¿Habéis perdido la entrada del cine?

....

6. Pedro ha olvidado los pasaportes en casa.

....

7. He borrado un archivo muy importante de mi ordenador.

....

7. Completa estas frases con el adjetivo adecuado.

contento/a   calvo/a   embarazada
rico/a   budista   enfermo/a

1. Empezó a comprar y a vender pisos y, en poco tiempo, se hizo .... Hoy es un empresario importantísimo.

2. Mi padre se quedó .... a los 35 años, en cambio mi abuelo aún tiene mucho pelo.

3. Marta se ha quedado otra vez .... ¡Va a ser el quinto hijo!

4. Comió marisco en mal estado y se puso ....

5. Ana pasó una temporada en el Tíbet y se hizo ....

6. Mi madre se puso muy .... cuando le di la noticia.

2. EL TURISTA ACCIDENTAL

1. ¿Qué palabras pueden acompañar a estas? Puede haber más de una posibilidad.

1. pensión	2. habitación	3. perder	4. facturar	5. cancelar	6. alojarse en	7. reservar

una casa rural   una habitación   completa   el equipaje   las maletas

con vistas   un vuelo   un hotel   doble   un albergue   individual   una reserva

2. Lee estas frases y marca, en cada caso, si sirven para empezar a contar una anécdota (E), para terminarla (T) o para reaccionar (R).

☐ 1. A mí, una vez, me pasó una cosa muy curiosa.

☐ 2. Total, que nos llevó a un cajero, sacamos dinero y...

☐ 3. ¡No me digas!

☐ 4. Yo, una vez, estaba en Londres y...

☐ 5. Por eso, a partir de ahora, voy a viajar solo.

☐ 6. ¿Sabes qué me pasó el otro día?

☐ 7. ¡Me parece increíble!

☐ 8. No te lo vas a creer, pero... ¿sabes qué les pasó a Pedro y a María?

☐ 9. ¡Qué me dices!

☐ 10. ¿En serio?

☐ 11. ¡Qué horror!

3. Aquí tienes una anécdota desordenada. Ordénala según este esquema.

☐ Empieza a contar la anécdota.

☐ Cuenta más detalles de la anécdota.

☐ Cuenta el final.

☐ Valoran la anécdota.

1
○ ... acabaste comprándole el libro, ¿no?
● Pues sí.
○ ¿Y cuánto te costó?
● Bueno, pues, en total, me cobró doce euros del libro y cinco del taxi... ¡Una ruina!

2
○ ¿Doce euros? ¡Qué caro!, ¿no?
● Sí, pero por lo menos fue una experiencia curiosa, ¿no?
○ Pues sí, bastante surrealista lo del taxista poeta...

3
● ¿Sabes lo que me pasó ayer en un taxi?
○ No. ¿Qué?
● ¡Que acabé comprando un libro de poesía!
○ ¿Al taxista? ¿Por qué?

4
● Nada, que cuando me bajé del taxi, me preguntó: ¿Te gusta la poesía? Y me enseñó un libro que había escrito él, del que estaba superorgulloso.
○ ¡Ostras¡ ¡Un taxista poeta!
● Sí, sí. Bueno, le eché un vistazo rápido para no ofenderle y... La verdad es que eran bastante malos los poemas, pero me dio un poco de pena y...

4. A. Lee estas frases y marca si la acción expresada por los verbos que están en negrita es anterior o posterior a la acción expresada por el otro verbo.

	ANTES	DESPUÉS
1. Cuando llegamos a la estación, el tren ya **había salido**.	X	
2. Cuando llegó Pedro, **empezamos** a cenar.		
3. No los encontré en casa porque se **habían ido** de vacaciones.		
4. Estudió mucho y, por eso, **aprobó** el examen.		
5. Reclamé a la agencia, pero no **aceptaron** ninguna responsabilidad.		
6. La guía que nos acompañó no **había estado** nunca en Madrid.		
7. Nos llevaron a un hotel muy malo, pero **habíamos reservado** uno de tres estrellas.		
8. Cuando llegamos al aeropuerto, ya **habían empezado** a embarcar.		

B. Ahora, piensa en cosas que ya habías hecho en tu vida en cada uno de los siguientes momentos y continúa las frases siguientes.

1. A los 15 años ....

....

2. Antes de estudiar español ....

....

3. Antes de empezar este curso ....

....

4. Cuando conocí a mi mejor amigo/a ....

....

5. Completa estas breves conversaciones con una de las dos formas verbales.

1. ● Has visto a Carla últimamente?
   ○ Sí, la .... ayer.

   veía / vi

2. ● Ayer fuimos al cine; .... una peli malísima.

   vimos / veíamos

3. ● Hablas muy bien alemán.
   ○ Bueno, es que de joven .... dos años en Berlín.

   pasé / pasaba

4. ● Llegas tardísimo, Marta.
   ○ Es que .... el bus.

   he perdido / perdía

5. ● El jueves pasado no .... a clase. Tuve que quedarme en casa.

   iba / fui

6. ● Antes no .... el pescado. Ahora me encanta.

   me gustaba / me gustó

7. ● Leí ese libro hace tres años y ....

   me encantaba / me encantó

8. ● Pasé tres meses en Suecia, pero no .... casi nada de sueco.

   aprendí / aprendía

9. ● Mi hermano nunca .... en Italia, pero habla muy bien italiano.

   ha estado / estaba

10. ● Se tomó una aspirina porque .... la cabeza.

    le dolía / le dolió

11. ● Me encontré con Pancracio y no lo reconocí: .... muy cambiado.

    estuvo / estaba

6. Completa este texto con los verbos que faltan conjugados en Imperfecto, en Indefinido o en Pluscuamperfecto. Fíjate en que la persona que narra la anécdota utiliza la primera persona del plural (nosotros).

asumir   haber   llegar

salir   querer   perder (2)

tener   conseguir

"Hace unos meses *contratamos* unas vacaciones a Orlando con la compañía "Viajes Cuervo". Cuando llegamos a Amsterdam, nuestra primera escala, nos dijeron que .... *overbooking.* .... que esperar más de dos horas, pero, al final, ... embarcar. Cuando .... a Detroit, la segunda escala, ... nuestra conexión porque el vuelo a Orlando ya .... Por culpa de estos incidentes, ... un día de estancia en Orlando y una noche de hotel. La agencia no .... hacerse responsable de nada y la compañía aérea no .... ninguna responsabilidad. ¿Dónde están los derechos de los pasajeros?"

7. Completa esta conversación con las siguientes frases y expresiones.

Pues sí que era fácil, sí.

¡No, no, qué va!

¿En serio? ¿Y cómo?

No, ¿qué?

¿Sí? ¿Y qué te han preguntado?

● ¿Sabes qué me ha pasado hoy?

○ ....

● No te lo vas a creer. ¡He ganado 3000 euros!

○ ....

● Pues, resulta que iba por la calle y, de repente, me para un reportero de un programa de la tele.

○ ¿De la tele? ¿Seguro que no era una broma?

● .... Justo después, me ha llamado un compañero de trabajo que me ha visto…

○ ¿Ah, sí? ¿Y cómo has conseguido el dinero?

● ¡Superfácil! El reportero me para y me explica que es un concurso y que, si acierto la respuesta a una pregunta, me llevo 3000 euros.

○ ....

● Nada, una tontería: la capital de Perú.

○ ¿De Perú? ....

● Sí, sí, facilísimo.

○ Hay que ver la suerte que tienes…

8. Imagina que acabas de volver de vacaciones. Escribe un pequeño correo electrónico a uno de tus compañeros de clase contándole algún incidente o algún problema que hayas tenido durante el viaje.

3. ¡BASTA YA!

1. Clasifica en regulares e irregulares estas formas verbales conjugadas en Presente de Subjuntivo. Piensa primero en su Infinitivo correspondiente.

viva   salgamos   habléis   empiecen

digan   sepan   oigas   bebáis   vayan

veamos   traduzcas   escriban   duermas

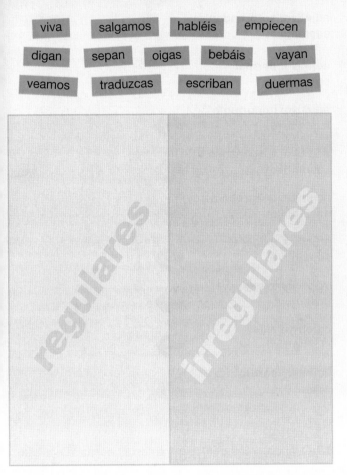

2. Completa estas frases con una reivindicación. Recuerda que puedes usar un sustantivo, un Infinitivo o una frase con **que** + Presente de Subjuntivo.

1. Los ecologistas quieren (que) ....
....

2. Las feministas exigen (que) ....
....

3. Los estudiantes reclaman (que) ....
....

4. Los jubilados necesitan (que) ....
....

5. Los pacificistas piden (que) ....
....

6. Los parados quieren (que) ....
....

3. Piensa en tu ciudad o en tu país y completa estas frases.

1. Me parece horrible que ....

2. Es injusto que ....

3. No es lógico que ....

4. Es una vergüenza que ....

5. Me parece increíble que ....

4. Conjuga los siguientes verbos en Presente de Subjuntivo.

	(yo)	(tú)	(él/ella/usted)	(nosotros/as)	(vosotros/as)	(ellos/as, ustedes)
hacer	haga	....	haga	....	hagáis	....
ser	sea	seas	....	seamos	....	sean
querer	quiera	....	....	....	queráis	....
jugar	juegue	juegues	....	juguemos	....	....
poder	pueda	....	....	....	....	....
estar	esté	....	....	....	estéis	....
pedir	pida	....	pida	....	....	....
saber	sepa	....	....	....	....	sepan
ir	vaya	vayas	....	....	....	....
conocer	conozca	....	....	conozcamos	....	....
tener	tenga	....	....	....	....	tengan
poner	ponga	....	....	....	....	....

5. ¿Cómo crees que se podrían solucionar los siguientes problemas? Escribe tus propuestas. Puedes usar las estructuras: **debería/n**, **se debería/n**, **deberíamos** y **habría que**.

1 El desempleo

2 La contaminación

3 Las guerras

4 El hambre

6. ¿Hay algo de lo que te quieras quejar o algo que quieras reivindicar? Ahora tienes la oportunidad de hacerlo. Escribe una carta al periódico con una reclamación o con una reivindicación.

7. Escribe los sustantivos correspondientes a cada uno de estos adjetivos.

adjetivo: **injusto/a**
sustantivo: → *la injusticia*

adjetivo: **sorprendente**
sustantivo: → ....

adjetivo: **normal**
sustantivo: → ....

adjetivo: **importante**
sustantivo: → ....

adjetivo: **vergonzoso/a**
sustantivo: → ....

adjetivo: **peligroso/a**
sustantivo: → ....

adjetivo: **exigente**
sustantivo: → ....

adjetivo: **inseguro/a**
sustantivo: → ....

adjetivo: **difícil**
sustantivo: → ....

adjetivo: **corrupto/a**
sustantivo: → ....

8. ¿Cuándo crees que ocurrirán estas cosas? Escríbelo.

1. Habrá paz en el mundo cuando ....
....

2. Se acabará el hambre en el mundo cuando ....
....

3. Habrá más trabajo cuando ....
....

4. Las grandes ciudades serán más seguras cuando ....
....

5. Los hombres y las mujeres tendrán los mismos derechos cuando ....
....

4. TENEMOS QUE HABLAR

1. Marca en cada caso si los siguientes verbos expresan un sentimiento positivo o negativo.

	+	-
horrorizar	☐	☐
fascinar	☐	☐
apasionar	☐	☐
irritar	☐	☐
sentar mal	☐	☐
sentar bien	☐	☐
molestar	☐	☐
dar vergüenza	☐	☐
poner nervioso/a	☐	☐
poner de mal humor	☐	☐
hacer ilusión	☐	☐
dar rabia	☐	☐
dar miedo	☐	☐

2. A. ¿A qué personas corresponden estas series de verbos? Escríbelo. En cada serie hay una forma que no pertenece al Presente de Subjuntivo. Márcala.

1.	vayamos	estemos	comamos	tenemos
2.	tenga	compre	está	vuelva
3.	lleváis	perdáis	estéis	volváis
4.	escribas	hagas	pierdes	tengas
5.	vendan	compran	sientan	estén
6.	duerma	pierde	cierre	venga

B. ¿Cuál de estas formas verbales no es de la misma persona que las demás? Márcala.

estéis   **paséis**   **vayáis**

escribáis   **pongáis**

lleves   **durmáis**   **uséis**

3. Completa con los verbos adecuados este fragmento del diario de un joven.

Mis padres son unos pesados. Estoy harto de que siempre (ellos) me .... todo lo que tengo que hacer. ¡Nada de lo que hago les parece bien! Por ejemplo, a mi padre no le gusta que (yo) .... el pelo largo, ni que (yo) .... gorra dentro de casa. Y a mi madre le da miedo que (yo) .... al colegio en el skate. Prefiere que (yo) .... en autobús, claro.

Esta tarde he estado estudiando en casa de Vanesa. Vanesa es genial, me encanta ir a su casa porque allí podemos pasar la tarde oyendo música tranquilamente, estudiando un poco (un pooooco) o charlando. A su padres no les molesta que (yo) .... la tarde en su casa, y creo que les gusta que Vanesa y yo .... amigos. ¡Son mucho más modernos que mis padres! Además, son muy interesantes. El padre de Vanesa trabaja en la tele; me encanta hablar con él, porque siempre me cuenta cotilleos de personas famosas que conoce. Su madre es fotógrafa y, de vez en cuando, nos hace fotos a Vanesa y a mí. A mí me da un poco de vergüenza que nos .... fotos, pero, por otro lado, está muy bien, porque las fotos que hace son superguays...

4. Relaciona cada principio de frase con su correspondiente final.

1. ☐
2. ☐
3. ☐

1. A mi prima Marta
2. La gente hipócrita
3. A los padres de mi novio

A. no los soporto.
B. no me gusta.
C. no la aguanto.

1. ☐
2. ☐
3. ☐

1. A las dos nos fascinan
2. A las dos nos encanta
3. Las dos estamos hartas

A. los mismos grupos de música.
B. de tener que llegar a casa a las 10.
C. comprar ropa.

1. ☐
2. ☐
3. ☐

1. A Pati le da rabia que
2. A Pati le gustan
3. Pati no aguanta

A. los chicos altos y fuertes.
B. su novio sea amigo de su ex novia.
C. a la ex novia de su novio.

5. A. Samuel y Zara están casados. Estos son algunos de los problemas que tienen. Completa las frases de manera lógica.

1. Zara trabaja más de diez horas al día y llega a casa muy cansada; por eso ....

2. La madre de Samuel aparece muchas veces en su casa sin avisar aunque ....

3. Zara odia hacer la cama pero ....

4. Como a Samuel le da miedo viajar en avión, nunca hacen grandes viajes; por eso ....

5. Los padres de Zara quieren comer con ellos todos los domingos aunque ....

6. Samuel está en el paro desde hace ocho meses; por eso ....

7. Samuel no sabe cocinar y no le hace nunca la cena a Zara pero ....

8. Zara solo tiene una semana de vacaciones al año, así que ....

B. ¿A cuál de los siguientes ámbitos pertenece cada uno de los problemas anteriores?

a. el trabajo   **c. la familia**
b. las tareas de casa   **d. el tiempo libre**

6. Pili, Mili y Loli son trillizas pero, en lo que se refiere a las relaciones con sus novios, son muy diferentes. Completa las frases e intenta formular dos más para cada una.

Pili es tradicional y muy romántica.

Mili es muy abierta y moderna.

Loli es intolerante y egoísta.

- Le gusta que su novio ....
....
- Le encanta ....
....
- Le hace mucha ilusión ....
....
- ....
- ....

- No le importa que su novio ....
....
- No le gustan demasiado ....
....
- Le hace gracia ....
....
- ....
- ....

- No soporta que su novio ....
....
- Le horroriza ....
....
- No le hace ninguna gracia ....
....
- ....
- ....

7. Completa estas frases desde tu punto de vista.

1 En el trabajo o en la escuela, me pone nervioso que...

. . . .

. . . .

2 En el cine, no soporto que...

. . . .

. . . .

3 Cuando estoy durmiendo, me molesta que...

. . . .

. . . .

4 Cuando estoy viendo la tele, no me gusta que...

. . . .

. . . .

5 En el metro o en el bus, me da rabia que...

. . . .

. . . .

6 Delante de desconocidos, me da vergüenza que...

. . . .

. . . .

8. A. Las relaciones de pareja han cambiado mucho desde el tiempo de nuestros abuelos. De las cosas de esta lista, marca las que crees que se hacían en esa época. Luego, piensa en qué orden crees que se hacían.

- ☐ enamorarse
- ☐ separarse
- ☐ hacerse novios
- ☐ conocerse
- ☐ irse a vivir juntos
- ☐ casarse
- ☐ tener hijos
- ☐ divorciarse
- ☐ empezar a salir
- ☐ ser(le) infiel al otro

B. Ahora, escribe un pequeño texto que hable de las diferencias que crees que hay entre esa época y la actualidad en relación con este tema.

5. DE DISEÑO

1. A. ¿Cuáles de estos comentarios te parecen positivos (+)? ¿Cuáles negativos (-)? Márcalo.

- ☐ **1.** Los encuentro un poco caros.
- ☐ **2.** Me parece horroroso.
- ☐ **3.** Pues a mí no me desagrada.
- ☐ **4.** Estas son un poco llamativas, ¿no?

- ☐ **5.** No sé si voy a comprármela.
- ☐ **6.** La encuentro espantosa.
- ☐ **7.** No es excesivamente barato.
- ☐ **8.** Este me va genial.

B. Imagina que alguien ha hecho los comentarios anteriores en una tienda de objetos de regalo. ¿A qué cosas crees que se ha referido en cada caso? Escríbelo. Presta atención al género y al número.

1. ....
2. ....
3. ....
4. ....

5. ....
6. ....
7. ....
8. ....

2. Intenta describir las siguientes cosas.

Es ....
Es de ....
Sirve para ....
....
....
Funciona con ....
Consume ....
Ocupa ....
Dura ....
Cabe en ....
Va muy bien para ....
....
....
....

Es ....
Es de ....
Sirve para ....
....
....
Es super ....
....
Ocupa ....
Cabe en ....
....
Dura ....

Es ....
Es de ....
Sirve para ....
....
....
Es muy ....
....
Ocupa ....
Cabe en ....
Dura ....

3. Completa las siguientes descripciones.

1

Una silla

Es un mueble en . . . .
. . . .
. . . .

2

Una cartera

Es una cosa en . . . .
normalmente el dinero y las tarjetas de crédito.

3

Una sartén

Es un utensilio con . . . .
. . . .

4

Aceite

Es un líquido con . . . .
. . . .

5

Un estanco

Es un establecimiento donde . . . .
. . . . tabaco y sellos.

4. Completa estas frases conjugando los verbos que están entre paréntesis en Presente de Indicativo o en Presente de Subjuntivo según corresponda.

1. He conocido a una chica que . . . . (llamarse) Alba.

2. Quiero un coche que no . . . . (costar) más de 12 000 euros.

3. Quiero llevar a María José a un restaurante que . . . . (tener) una terraza con vistas al mar. ¿Conoces alguno?

4. ¿Sabes dónde están los zapatos que . . . . (ponerse, yo) normalmente con el vestido rojo?

5. No encuentro ningún trabajo que . . . . (gustar, a mí) realmente.

6. ¿Sabes ese bar que . . . . (estar) en la esquina de tu casa? Pues allí nos encontramos ayer a Luisa.

7. ¿Conoces a algún arquitecto que . . . . (tener) experiencia en locales comerciales? Es que necesito encontrar uno urgentemente.

5. Fíjate en el ejemplo y transforma estas frases intensificando de otra manera el valor del adjetivo.

1. Es un vestido **muy feo**.
Es un vestido feísimo.
. . . .

2. Ayer en una tienda vi unos zapatos **supercaros**.
. . . .

3. Tengo un aparato que hace unos zumos **muy buenos**.
. . . .

4. El otro día me compré un sofá **comodísimo**.
. . . .

5. Me encanta. Es **muy moderno**.
. . . .

6. Este horno es **muy práctico**.
. . . .

6. Escribe tres nombres de...

aparatos eléctricos:	**prendas de vestir:**
objetos de decoración:	**muebles:**
establecimientos comerciales:	**utensilios de cocina:**
instrumentos musicales:	**recipientes:**

7. A. Relaciona estas cuatro prendas de vestir y complementos de moda con su texto correspondiente.

gafas de sol   minifalda   cremallera   corbata

1 ....

El 10 de julio de 1964, la diseñadora inglesa Mary Quant revolucionó el mundo de la moda con su nueva colección de verano en la que mostró por primera vez esta prenda de vestir para la mujer. Esta falda corta, que medía entre 35 y 45 centímetros y que dejaba al descubierto la mayor parte de las piernas, tuvo y continúa teniendo un éxito impresionante.

2 ....

El estadounidense Whitcomb L. Judson patentó en 1893 un sistema de cierre continuo consistente en una serie de ojales y ganchos. En 1913, el sueco Sundback perfeccionó la idea de Judson y creó un cierre sin ganchos, con dientes metálicos que se encajaban los unos con los otros. Este cierre se utilizó primero en monederos y bolsitas de tabaco y, en 1917, la Marina estadounidense lo utilizó en sus chaquetas oficiales. En España se llamó "cierre relámpago". Schiaparelli, en 1932, fue el primer diseñador que lo utilizó en sus modelos. Posteriormente, el accesorio se perfeccionó y se hicieron muchas variantes.

3 ....

En el siglo XVII, en tiempos del rey Luis XIV, llegó a Francia un regimiento de caballería proveniente de Croacia. Los croatas, llamados por los franceses "cravates", tenían por costumbre usar una larga pieza de paño que sujetaban en el cuello para protegerse del frío. A los franceses les encantó la idea. Con el tiempo, este uso pasó a Italia y, después, a otros países de Europa.

4 ....

Las primeras datan de 1885 y estaban hechas con un vidrio ligeramente coloreado. En la década de los 30 se convirtieron en un accesorio de moda cuando las popularizaron las estrellas de cine de Hollywood. En los años 50, aparecieron modelos nuevos y extravagantes, una tendencia que siguió hasta bien entrados los años 60. En los 70, triunfaron los modelos más sobrios y, en los 80, se pusieron de moda las negras. Actualmente, hay una enorme variedad de estilos.

B. Ahora, escribe un texto similar sobre otro objeto o prenda de vestir.

6. MISTERIOS Y ENIGMAS

1. A. Relaciona cada elemento de la columna de la izquierda con otro de la derecha para formar una expresión relacionada con los fenómenos paranormales.

1. leer	**a.** el tiempo
2. adivinar	**b.** inmortal
3. recordar	**c.** el futuro
4. ser	**d.** las manos
5. tener sueños	**e.** magia
6. estar en dos	**f.** extraterrestres
7. viajar en	**g.** que se cumplen
8. ser abducido/a por	**h.** sitios a la vez
9. hacer	**i.** vidas anteriores

B. Ahora, escoge uno de los fenómenos anteriores y escribe lo que piensas sobre él: si crees que es real, si tiene una explicación racional, etc.

....
....
....
....
....
....
....

2. A. María está preocupada porque su novio no ha llegado a casa. ¿Qué ideas le pasan por la cabeza? Escribe las diferentes hipótesis que baraja María usando el Futuro Simple o el Futuro Compuesto.

1. ....
....

2. ....
....

3. ....
....

4. ....
....

5. ....
....

6. ....
....

7. ....
....

8. ....
....

B. Ahora, reescribe tus hipótesis usando estos otros recursos: **puede que, lo más seguro es que, es probable que, tal vez** o **quizá/s.**

3. Lee este texto sobre los *moais* de la Isla de Pascua y, luego, marca si las afirmaciones son verdaderas o falsas.

La Isla de Pascua encierra uno de los grandes misterios de la humanidad: los *moais*. Se trata de gigantescas esculturas de piedra de origen volcánico con forma de cabeza y torso humanos, que pesan entre 8 y 20 toneladas. Hay unas mil en toda la isla, todas diferentes, y se cree que representaban a dioses o a miembros destacados de la comunidad.

Aunque las estatuas están ubicadas cerca del mar, todas ellas miran hacia tierra. Las más impresionantes son probablemente las que están situadas en las laderas del volcán Rano Raraku. Estos *moais* tienen unas características especiales. La nariz se vuelve hacia arriba y los labios, muy delgados, se proyectan hacia adelante en un gesto de burla y desdén. No tienen ojos

y, en los lados de la cabeza, parecen tener unas orejas alargadas o algún tipo de prenda para la cabeza. La estatua más grande mide veintidós metros y la más pequeña, tres.

Los *moais* constituyen uno de los principales legados de la cultura Rapa Nui. Sin embargo, los pascuenses, a diferencia de otras culturas antiguas, conservan pocas leyendas sobre sus orígenes, por lo que los investigadores no cuentan con la ayuda de la tradición oral para intentar resolver el misterio.

Por el momento, son muchas las preguntas que siguen sin respuesta. ¿Qué representan exactamente los *moais*? ¿Cómo consiguió la civilización Rapa Nui llevar a cabo una obra semejante? ¿Qué técnicas utilizaron? ¿Cómo transportaban los inmensos bloques de piedra?

V F

☐ ☐ 1. Es muy probable que estas figuras representen a dioses o a miembros de la comunidad.

☐ ☐ 2. Todas las estatuas están orientadas hacia tierra.

☐ ☐ 3. Los *moais* son anteriores a la cultura Rapa Nui.

☐ ☐ 4. Todavía quedan muchas cuestiones por aclarar acerca del misterio de los *moais*.

4. En esta escena están pasando cosas raras. Intenta responder a estas tres preguntas formulando hipótesis.

¿Qué está pasando?

En el piso de arriba hay un hombre haciendo la maleta; tal vez…

. . . .

. . . .

. . . .

¿Qué ha pasado?

. . . .

. . . .

. . . .

. . . .

¿Qué crees que va a pasar?

. . . .

. . . .

. . . .

5. Lee esta lista de fenónemos paranormales y de sucesos que no tienen una explicación racional. Luego, completa las frases de abajo con los elementos de la lista y justifícalo.

leer el pensamiento
adivinar el futuro
recordar vidas anteriores
ver un fantasma
ser inmortal
tener sueños que se cumplen

viajar en el tiempo
hacer magia
ver un ovni
leer las manos
ser invisible
ser abducido/a por un extraterrestre

Me gustaría...

Me daría mucho miedo...

Sería interesante...

6. Completa estos diálogos conjugando en el tiempo verbal adecuado los verbos que están entre paréntesis.

1. ● ¿Dónde está Pedro?
   ○ No sé .... (estar estudiando) en la biblioteca... Es que tiene los exámenes finales dentro de una semana.

2. ● ¿Has oído eso? ¿No será una explosión?
   ○ No, mujer .... (chocar) dos coches. Ese cruce es muy peligroso. ¿Vamos a ver qué ha pasado?

3. ● ¿Y tu hermano? Hace mucho rato que ha salido de casa y no ha vuelto.
   ○ No sé, ... (ir) al supermercado.

4. ● María lleva todo el mes insistiendo en invitarme a cenar. No sé qué quiere. Estoy un poco preocupada.
   ○ No .... (ser) nada, mujer .... (querer) hablar contigo y ya está.

5. ● ¿Has visto mis llaves? Llevo media hora buscándolas.
   ○ Las .... (tener) en algún bolsillo, como siempre.

7. ¿Eres una persona desconfiada? Responde a este test y lee los resultados. ¿Te sientes identificado? Escribe tu reacción.

1
Un/a compañero/a de trabajo te hace un regalo cuando no es tu cumpleaños.
☐ A. ¡Qué raro! ¿Qué querrá? Seguro que quiere algo a cambio.
☐ B. Le habrán regalado eso a él/ella y no le gusta.
☐ C. ¡Qué majo/a! Claro, como soy tan simpático/a.

2
La persona con la que vives no llega a casa.
☐ A. Habrá tenido un accidente.
☐ B. Seguro que se ha ido a tomar algo con los del trabajo.
☐ C. Estará trabajando. Ya llegará.

3
Recibes una llamada de tu jefa para que te presentes inmediatamente en su despacho.
☐ A. Seguramente me van a despedir.
☐ B. ¿Habré hecho algo mal?
☐ C. Bueno, ya que voy a hablar con ella, le pediré un aumento de sueldo.

4
El profesor entra en clase con un ojo morado.
☐ A. Le habrá pegado un alumno.
☐ B. Se habrá caído por las escaleras.
☐ C. ¿Ojo morado? No sé... ¿No son ojeras?

5
Ves a un compañero de trabajo comiendo con la jefa.
☐ A. Seguro que están saliendo juntos.
☐ B. Le estará haciendo la pelota para obtener un ascenso.
☐ C. Estarán hablando de trabajo.

6
Un hombre o una mujer se dirige a ti cuando va por la calle.
☐ A. Querrá atracarme.
☐ B. Lo más probable es que quiera venderme algo.
☐ C. Se habrá perdido y querrá preguntarme una dirección.

Resultados

Mayoría de A: Eres muy desconfiado/a y un poco mal pensado/a. Ante el abanico de posibilidades que se te ofrecen, siempre escoges la más negativa. Si sigues así, puedes acabar sin amigos.

Mayoría de B: Intentas ser sociable, pero no te fías totalmente de la gente. No ves el lado perverso de las cosas, pero tampoco te dejas llevar siempre por el optimismo y la buena fe.

Mayoría C: Estás tan seguro/a de ti mismo/a que nada de lo que ves te parece sospechoso. Eres una persona excesivamente confiada.

7. BUENAS NOTICIAS

1. Aquí tienes una serie de verbos. Escribe el sustantivo correspondiente, como en el ejemplo. ¡Ojo! Algunos son masculinos y otros femeninos.

aprobar	la aprobación	unificar	....
invadir	....	declarar	....
destruir	....	cerrar	....
aumentar	....	abrir	....
disminuir	....	inaugurar	....
descubrir	....	rechazar	....
proponer	....	participar	....
reprimir	....	estallar	....

2. Completa estos titulares con los verbos del recuadro.

acusa • se manifiestan • fallece • cargan • dimite • estalla

1. _____ por "presiones políticas" el presidente de la Confederación de Empresas

2. Los obispos _____ contra la clonación y los matrimonios entre personas del mismo sexo

3. Centenares de personas _____ en Zaragoza para pedir una sanidad mejor

4. _____ un conflicto político en Burundi por el control del dinero público

5. _____ a los 91 años el escritor Álvaro Roma

6. El gobierno _____ a los sindicatos de hacer el "trabajo sucio" de la oposición

3. Aquí tienes una noticia desordenada. ¿Puedes reconstruirla?

Barzzi sufre heridas leves al caer de una bicicleta

☐ "Ha estado lloviendo mucho y los caminos del rancho estaban muy resbaladizos", explicó Puffy.	**3** El presidente sufrió magulladuras y heridas en la barbilla, en la nariz, en la mano derecha y en ambas rodillas, según comentó Puffy, quien
☐ El nuevo presidente de la República de Hatapatata, Arnaldo Barzzi, resultó ayer herido leve al caerse de su bicicleta de montaña	☐ A última hora de la tarde, el presidente agradeció en rueda de prensa las innumerables muestras de interés que la ciudadanía mostró por su estado tras conocerse la noticia.
☐ la propuesta de sus guardaespaldas de continuar los dos kilómetros restantes del recorrido hasta su casa en coche y continuó pedaleando.	**6** El inquilino de la Casa Dorada, que llevaba casco y un protector para la boca en el momento del accidente, rechazó
☐ Barzzi aprovechó la comparecencia para anunciar que aumentará el número de efectivos de su cuerpo de seguridad personal.	☐ añadió que el presidente fue atendido inmediatamente por su médico personal. El portavoz aseguró que la causa de la caída fue la fuerte humedad del terreno debido a las recientes lluvias:
☐ cuando paseaba por las inmediaciones de su rancho, según informó el portavoz de la Casa Dorada Kenter Puffy.	

4. Aquí tienes los titulares de la página 58. Fíjate en que todos están en Presente o no tienen verbo. Intenta transformarlos como en el ejemplo.

○ **1977** Primeras elecciones democráticas en España en 41 años

En 1977 se celebraron las primeras elecciones democráticas en España después de 41 años

○ **1981** IBM crea el primer ordenador personal (PC)

. . . .

○ **1982** Gabriel García Márquez gana el premio Nobel de Literatura

. . . .

○ **1983** Un grupo de científicos logra identificar el VIH, el virus del SIDA

. . . .

○ **1988** El gobierno español compra a la familia Thyssen-Bornemisza la colección privada de arte más importante del mundo

. . . .

○ **1989** Cae el muro de Berlín

. . . .

○ **1991** Se declara la Guerra del Golfo

. . . .

○ **1996** Grave crisis en el sector alimentario por el síndrome de las "vacas locas"

. . . .

○ **1997** Científicos del Instituto Roslin de Escocia anuncian que han logrado la clonación de una oveja

. . . .

○ **1998** Francia se proclama campeona del mundo de fútbol

. . . .

○ **1999** Nace el euro: la moneda única europea

. . . .

○ **2002** Lula Da Silva gana las elecciones en Brasil

. . . .

○ **2004** Atentados terroristas en varias estaciones de tren madrileñas

. . . .

5. Aquí tienes una serie de informaciones que resumen la historia del periódico *El País*. Transforma las frases para que empiecen con las palabras que están en negrita.

1. Un grupo de periodistas dirigidos por Juan Luis Cebrián fundaron **El País** el 4 de mayo de 1976, en plena transición democrática.

2. Crearon **El País** con el objetivo de llegar a un público diverso: estudiantes, trabajadores, intelectuales, etc.

3. Hasta el momento han publicado **más de 15 000 números**.

4. Sus páginas han tratado **los acontecimientos más importantes de España y del mundo.**

5. Autores de gran prestigio nacional e internacional firman **muchos de los artículos** aparecidos en las páginas de *El País*.

1. *El País* . . . .

2. . . . .

3. . . . .

4. . . . .

5. . . . .

6. A. Decide si estas frases son verdaderas o falsas.

	V	F
1. América fue descubierta por un francés.	☐	☐
2. La penicilina se empezó a utilizar después de la II Guerra Mundial.	☐	☐
3. *El Quijote* nunca ha sido adaptado al cine.	☐	☐
4. "Yesterday" fue compuesta por John Lennon.	☐	☐
5. *Kika* fue dirigida por Almodóvar.	☐	☐
6. El estado de Louisiana fue comprado por los americanos a los franceses en 1803.	☐	☐
7. El Che Guevara fue asesinado en Chile.	☐	☐
8. *Los girasoles* fue pintado por Rubens.	☐	☐

B. Ahora, transforma las frases falsas en verdaderas.

. . . .
. . . .
. . . .
. . . .
. . . .

8. YO NUNCA LO HARÍA

1. Completa estos cuadros con las formas adecuadas del Condicional.

preparar	saber	recibir	decir	tener	hacer
prepararía	....	recibiría	....	tendría	....
....	sabrías	....	dirías	....	harías
prepararía	....	recibiría	....	tendría	....
....	sabríamos	....	diríamos	....	haríamos
prepararíais	....	recibiríais	....	tendríais	....
....	sabrían	....	dirían	....	harían

2. Relaciona estos principios de frase con su final correspondiente.

1. Tienes muy mala cara. ¿Por qué no

2. No me gustan nada los tatuajes.

3. Deberías

4. ¡Qué sueño tengo! No he dormido nada esta noche,

5. Le recomiendo que

6. No sabía que

7. ¿Podría

8. Si fuera millonario,

a. Nunca me haría uno.

b. decirme dónde está la estación?

c. haga una dieta.

d. vas al médico?

e. ahorrar un poco si quieres irte de vacaciones.

f. estabas aquí. ¿Cuándo has llegado?

g. me iría a la cama ahora mismo.

h. me compraría una casa en una isla del Caribe y me pasaría el día tomando el sol.

1		3		5		7	
2		4		6		8	

3. Completa estas frases con nombres de famosos y razona tus elecciones.

1. Me iría de vacaciones con . . . .

. . . .

2. Me casaría con . . . .

. . . .

3. Le prestaría dinero a . . . .

. . . .

4. Le pediría consejos a . . . .

. . . .

5. Invitaría a cenar a mi casa a . . . .

. . . .

6. Le daría un premio a . . . .

. . . .

7. Le contaría un secreto a . . . .

. . . .

4. Estos estudiantes de español tienen algunos problemas. ¿Puedes darles un consejo a cada uno?

CHERYL: "Quiero adelgazar un poco, pero no me gusta nada hacer deporte."

. . . .
. . . .
. . . .

DIANE: "A mí me gusta mucho salir y bailar, pero mi novio siempre quiere quedarse en casa."

. . . .
. . . .
. . . .

LUDOVIC: "Últimamente duermo fatal y durante el día estoy siempre cansado."

. . . .
. . . .
. . . .

OLA: "Mis padres me han invitado a ir de vacaciones con ellos, pero yo quiero ir a esquiar con unos amigos."

. . . .
. . . .
. . . .

LUCINDA: "Hoy es el cumpleaños de mi novio y todavía no le he comprado nada. No sé qué regalarle."

. . . .
. . . .
. . . .

MARTINA: "Mi jefe me ha invitado a una barbacoa, pero yo no como carne. Además, no le quiero decir que soy vegetariana."

. . . .
. . . .
. . . .

5. Escribe frases sobre estas cuestiones.

1. Una cosa que no harías nunca.

. . . .
. . . .
. . . .

2. Algún aspecto gramatical que no conocías antes de esta unidad.

. . . .
. . . .
. . . .

3. Algo que harías si fueras muy rico/a.

. . . .
. . . .
. . . .

4. Una cosa que harías si estuvieras de vacaciones.

. . . .
. . . .
. . . .

5. Algo que te gustaría hacer ahora mismo.

. . . .
. . . .
. . . .

6. Relaciona los elementos de estas dos columnas.

hacerse   la nariz

dar   sobre un tema

opinar   una moda

perforarse   una enfermedad

seguir   un tatuaje

contraer   un examen

casarse   un consejo

suspender   por la iglesia

7. ¿Eres una persona tímida? Completa el test para averiguarlo.

¿Eres una persona tímida?

1. Imagina que tienes que dar un discurso delante de 200 personas. ¿Te pondrías nervioso/a?

a) ☐ Sí, mucho.
b) ☐ No, para nada.

2. Acabas de llegar a una ciudad donde no conoces a nadie. ¿Te costaría hacer amigos?

a) ☐ Sí. Me cuesta mucho hacer nuevas amistades.
b) ☐ No. Tengo mucha facilidad para conocer gente.

3. Te invitan a una cena con antiguos compañeros de la escuela. ¿Irías?

a) ☐ No, no me gustan ese tipo de celebraciones.
b) ☐ Claro que sí.

4. Si estuvieras al lado de una persona muy famosa a la que admiras, ¿le hablarías?

a) ☐ No, creo que no me atrevería.
b) ☐ Sí, claro.

5. En una cena en casa de unos amigos te piden que cantes una canción.

a) ☐ Diría que no. ¡Qué vergüenza!
b) ☐ Cantaría más de una. Me encanta cantar.

6. En un nuevo trabajo te ofrecen la posibilidad de trabajar solo o en equipo. ¿Qué elegirías?

a) ☐ Preferiría trabajar solo.
b) ☐ Trabajar en equipo. No me gusta trabajar solo/a.

7. Imagina que te llaman para hacerte una entrevista en un programa de televisión.

a) ☐ No iría.
b) ☐ Me encantaría salir por la televisión.

8. Tú y tus compañeros de clase decidís iros a la playa y no llevas bañador. ¿Te quedarías en ropa interior?

a) ☐ No, me daría vergüenza.
b) ☐ Sí, no tendría ningún problema. No hay mucha diferencia entre la ropa interior y un bañador.

Puntuación

Las respuestas **A** valen **2** puntos
Las respuestas **B** valen **1** punto

10 o menos de 10
¿Timidez? Tú no sabes lo que es. ¡No cambies!

Entre 11 y 15
Eres un poco tímido, pero intentas no dejarte dominar por tus miedos.

Más de 15
Eres una persona tímida. Deberías abrirte un poco más al mundo y superar tus complejos. Seguro que vales mucho más de lo que tú crees.

9. ¿Y QUÉ TE DIJO?

1. A. Gastón es muy simpático, pero un poco caradura. Siempre pide favores a sus amigos. Lee esta conversación que han mantenido algunos de sus amigos y determina a qué persona verbal corresponden los verbos que están en negrita.

- ¿A que no sabéis qué me pidió Gastón ayer?
- ○ Pues, no sé, cualquier cosa…
- ¡Que le **comprara (1)** el pan!
- ¿Y lo hiciste?
- ○ Sí que lo hice… Como vivo al lado…
- Pues a nosotros el otro día nos pidió que le **prestáramos (2)** el coche porque tenía una cita y quería impresionar a la chica.
- ○ ¡Pero qué cara! ¿Os pidió de verdad que le **dejarais (3)** el coche nuevo? ¿Y lo hicisteis?
- Bueno, sí, la verdad es que nos lo pidió de una manera que no pudimos negarnos. Pero no sabéis lo mejor: a Azucena le pidió que le **hiciera (4)** una traducción de 20 páginas.
- ○ Esa no es la mejor. A los Urrutia les pidió que le **dieran (5)** la palmera aquella tan bonita que tenían en la terraza porque, según él, a ellos se les iba a morir, porque no tenía tierra, y que él la iba a plantar en su jardín y no sé qué más.
- ¡Es alucinante! Bueno, ¿y te acuerdas de aquella vez, Rita, que te pidió que les **dijeras (6)** a sus padres que eras su novia?

1.   4.

2.   5.

3.   6.

B. Ahora, completa el cuadro con las raíces de los verbos que aparecen en las frases anteriores.

(yo)		-a
(tú)		-as
(él/ella/usted)		-a
(nosotros/as)		-amos
(vosotros/as)		-ais
(ellos/ellas/ustedes)		-an

C. Estas raíces son las mismas que las de la tercera persona del plural (**ellos/ellas/ustedes**) de otro tiempo verbal. ¿De cuál?

D. Completa ahora el cuadro con las raíces de los verbos.

	(comer) →	comier-	
	(estar) →		
	(firmar) →		
	(ir) →		
	(pagar) →		
(yo)	(pasar) →		-a
(tú)	(pedir) →		-as
(él/ella/usted)	(perder) →		-a
(nosotros/as)	(saber) →		-amos
(vosotros/as)	(deber) →		-ais
(ellos/ellas/ustedes)	(leer) →		-an
	(sentir) →		
	(ser) →		
	(tener) →		
	(vender) →		

2. A. ¿A qué persona corresponden estas seis series de verbos? Escríbelo.

fuéramos	tuviera	supierais
tengamos	fuera	perdierais
estuviéramos	pidiera	seáis
comiéramos	vuelva	dijerais

hagas	vendan	pagara
escribieras	comprarar.	fuera
condujeras	sintieran	visitara
perdieras	dieran	pida

B. Fíjate en que las formas del Imperfecto de Subjuntivo son idénticas en dos personas. ¿En cuáles?

3. Completa con los verbos adecuados este texto en el que Ricardo habla de su adolescencia.

llevar   **decir**   **ir**   **cambiar**   **apuntar**
pasar (3)   **obligar**   **dejar**   **burlarse**   **ver**   **ser**

Cuando tenía 14 años, iba a un colegio privado. No estaba mal, pero había cosas que no me gustaban. Por ejemplo, odiaba que nos (ellos) .... a llevar uniforme, no nos permitían que (nosotros) nos .... el pelo largo, ni que .... gorra en clase. En realidad, pedí varias veces a mis padres que me (ellos) .... de aquel colegio y me .... en el instituto público de mi barrio, pero no lo conseguí. Lo que me daba más vergüenza era que mis amigos del barrio me (ellos) .... con aquel uniforme ridículo y que (ellos) .... de mí.

En aquella época, mi mejor amigo era Carlos, un chico del barrio dos años mayor que yo. A mis padres no les gustaba que (yo) .... tanto tiempo con él, porque pensaban que no era una "buena compañía". Pero Carlos era genial; a él no le importaba que yo .... a una escuela privada y no se reía de mi uniforme. Pasábamos mucho tiempo en su casa, a sus padres no les parecía mal que (nosotros) .... horas y horas oyendo música y tocando la guitarra. Queríamos hacer un grupo e incluso le pedimos a una amiga nuestra que (ella) .... la cantante del grupo. Creo que lo hicimos porque los dos estábamos enamorados de ella... Se llamaba Sandra y, en realidad, queríamos que (ella) .... las tardes con nosotros, cantando y charlando. Buscábamos una chica que nos .... que éramos unos grandes músicos... ¡Ay! ¡Qué tiempos aquellos!

4. Completa estas frases que hablan de los cambios en las vidas y en las opiniones de varias personas.

1 Antes, me daba mucha rabia que me .... "niña", pero ahora me encanta.

2 Ahora, nos parece terrible que .... a los niños, pero en mis tiempos era muy normal.

3 Yo nunca les pedí a mis padres que me .... un coche, pero mis hijos me lo piden constantemente.

4 Cuando era joven, no me gustaba que mi familia .... a mis novias, pero ahora quiero que mis hijos me presenten a las suyas.

5 Hoy en día, a los jóvenes les parece normal que sus padres se lo .... todo, pero en nuestros tiempos nosotros queríamos ser independientes económicamente.

6 Mis padres no querían que .... de vacaciones con mi novio. Hoy en día, mi hija va de vacaciones con el suyo.

7 Es terrible que las personas mayores .... solas hoy en día. Antes, siempre vivían con los hijos o con los sobrinos.

8 Antes, buscábamos un empleo que nos .... estabilidad, que .... para toda la vida. Ahora, eso no importa tanto.

5. Piensa en cómo eras a los 13 años: las cosas que te gustaban, las que te interesaban, tus mejores amigos, lo que veías en la tele, la música que oías, etc. Escribe un pequeño texto contándolo.

6. A. Ayer Sol habló con varias personas en varios contextos. Ese mismo día, ella contó esas conversaciones a otras personas. Completa las frases. Ten en cuenta si las frases son aún vigentes o no.

Ayer durante el día	Ayer por la noche
Su hijo: • Mamá, eres la madre más guapa del mundo.	○ Mi hijo me ha dicho que ....
Una vecina en el ascensor: • Sol, tienes muy buen aspecto.	○ Mi vecina me ha dicho que ....
Un policía en la calle: • Señora, no puede aparcar la moto en la acera.	○ Esta mañana ....
Un compañero de trabajo cuando iba a la cafetería: • Sol, ¿me traes un bocadillo, por favor?	○ Esta mañana, en el trabajo, cuando iba a la cafetería, un compañero me ha pedido que ....
Su jefa: • Sol, concéntrate, últimamente te veo muy despistada.	○ Esta tarde mi jefa me ....
Su hermana: • Sol, cariño, ¿me dejas el vestido azul?	○ ....

B. Ahora, imagina que lo cuenta hoy. Completa las frases. Ten en cuenta si las frases son aún vigentes o no.

Hoy
Ayer mi hijo me dijo que ....
Ayer una vecina me dijo que ....
Ayer por la mañana ....
Ayer por la mañana, cuando iba a la cafetería, un compañero me pidió que ....
Ayer por la tarde, mi jefa me ....
....

10. AMÉRICA

El curso que acabas de terminar corresponde al nivel B1 del Marco común europeo de referencia. Aquí tienes la descripción de lo que eres capaz de hacer. Lee los textos, reflexiona sobre todas las cosas que puedes hacer en español.

Cuando escucho...

- Comprendo las ideas principales si se tratan, de una manera clara, temas cotidianos que tienen lugar en el trabajo, en la escuela, durante el tiempo de ocio, etc.

- Comprendo la idea principal de muchos programas de radio o televisión que tratan temas actuales o asuntos de interés personal o profesional, cuando la manera de hablar es relativamente lenta y clara.

Cuando leo...

- Comprendo textos redactados en una lengua normal y cotidiana o relacionada con el trabajo.

- Comprendo la descripción de acontecimientos, sentimientos y deseos en cartas o en correos electrónicos personales.

Cuando escribo...

- Soy capaz de escribir textos sencillos y bien construidos sobre temas que conozco o me interesan.

- Puedo escribir cartas o correos electrónicos personales que describen experiencias e impresiones.

Cuando converso...

- Sé desenvolverme en casi todas las situaciones que se me presentan cuando viajo a lugares donde se habla español.

- Puedo participar espontáneamente en una conversación que trata temas cotidianos de interés personal o relacionados con la vida diaria (por ejemplo, familia, aficiones, trabajo, viajes y acontecimientos actuales).

Cuando hablo en público...

- Sé enlazar frases de forma sencilla para describir experiencias y hechos, mis esperanzas y mis ambiciones.

- Soy capaz de explicar y justificar brevemente mis opiniones y proyectos.

- Sé narrar una historia, la trama de un libro o una película y puedo describir mis reacciones.

Este espacio está pensado para que puedas llevarte las direcciones de tus compañeros a tu país y puedas seguir en contacto con ellos.

✉	☎	@

VERBOS

INDICATIVO										SUBJUNTIVO		CONDICIO
Presente	**Pretérito Imperfecto**	**Pretérito Indefinido**	**Pretérito Perfecto**	**Pretérito Pluscuam-perfecto**	**Futuro Simple**	**Futuro Compuesto**	**Imperativo**			**Presente**	**Pretérito Imperfecto**	**Simple**
							Afirmativo	Negativo				

1. CANTAR   Gerundio: cantando   Participio: cantado

canto	cantaba	canté	he cantado	había cantado	cantaré	habré cantado				cante	cantara/se	cantaría
cantas	cantabas	cantaste	has cantado	habías cantado	cantarás	habrás cantado	canta	no cantes		cantes	cantaras/ses	cantarías
canta	cantaba	cantó	ha cantado	había cantado	cantará	habrá cantado	cante	no cante		cante	cantara/se	cantaría
cantamos	cantábamos	cantamos	hemos cantado	habíamos cantado	cantaremos	habremos cantado				cantemos	cantáramos/semos	cantaríam
cantáis	cantabais	cantasteis	habéis cantado	habíais cantado	cantaréis	habréis cantado	cantad	no cantéis		cantéis	cantarais/seis	cantaríais
cantan	cantaban	cantaron	han cantado	habían cantado	cantarán	habrán cantado	canten	no canten		canten	cantaran/sen	cantarían

2. COMER   Gerundio: comiendo   Participio: comido

como	comía	comí	he comido	había comido	comeré	habré comido				coma	comiera/se	comería
comes	comías	comiste	has comido	habías comido	comerás	habrás comido	come	no comas		comas	comieras/ses	comerías
come	comía	comió	ha comido	había comido	comerá	habrá comido	coma	no coma		coma	comiera/se	comería
comemos	comíamos	comimos	hemos comido	habíamos comido	comeremos	habremos comido				comamos	comiéramos/semos	comeríam
coméis	comíais	comisteis	habéis comido	habíais comido	comeréis	habréis comido	comed	no comáis		comáis	comierais/seis	comeríais
comen	comían	comieron	han comido	habían comido	comerán	habrán comido	coman	no coman		coman	comieran/sen	comerían

3. VIVIR   Gerundio: viviendo   Participio: vivido

vivo	vivía	viví	he vivido	había vivido	viviré	habré vivido				viva	viviera/se	viviría
vives	vivías	viviste	has vivido	habías vivido	vivirás	habrás vivido	vive	no vivas		vivas	vivieras/ses	vivirías
vive	vivía	vivió	ha vivido	había vivido	vivirá	habrá vivido	viva	no viva		viva	viviera/se	viviría
vivimos	vivíamos	vivimos	hemos vivido	habíamos vivido	viviremos	habremos vivido				vivamos	viviéramos/semos	viviríamos
vivís	vivíais	vivisteis	habéis vivido	habíais vivido	viviréis	habréis vivido	vivid	no viváis		viváis	vivierais/seis	viviríais
viven	vivían	vivieron	han vivido	habían vivido	vivirán	habrán vivido	vivan	no vivan		vivan	vivieran/sen	vivirían

* PARTICIPIOS IRREGULARES

		escribir	escrito	**poner**	puesto
		freír	frito/freído	**resolver**	resuelto
abrir	abierto	**hacer**	hecho	**romper**	roto
cubrir	cubierto	**ir**	ido	**ver**	visto
decir	dicho	**morir**	muerto	**volver**	vuelto

INDICATIVO						SUBJUNTIVO		CONDICIONAL
Presente	**Pretérito Imperfecto**	**Pretérito Indefinido**	**Futuro Simple**	**Imperativo** Afirmativo	Negativo	**Presente**	**Pretérito Imperfecto**	**Simple**

4. ACTUAR Gerundio: actuando Participio: actuado

INDICATIVO						SUBJUNTIVO		CONDICIONAL
actúo	actuaba	actué	actuaré			actúe	actuara/se	actuaría
actúas	actuabas	actuaste	actuarás	actúa	no actúes	actúes	actuaras/ses	actuarías
actúa	actuaba	actuó	actuará	actúe	no actúe	actúe	actuara/se	actuaría
actuamos	actuábamos	actuamos	actuaremos			actuemos	actuáramos/semos	actuaríamos
actuáis	actuabais	actuasteis	actuaréis	actuad	no actuéis	actuéis	actuarais/seis	actuaríais
actúan	actuaban	actuaron	actuarán	actúen	no actúen	actúen	actuaran/sen	actuarían

5. ADQUIRIR Gerundio: adquiriendo Participio: adquirido

INDICATIVO						SUBJUNTIVO		CONDICIONAL
adquiero	adquiría	adquirí	adquiriré			adquiera	adquiriera/se	adquiriría
adquieres	adquirías	adquiriste	adquirirás	adquiere	no adquieras	adquieras	adquirieras/ses	adquirirías
adquiere	adquiría	adquirió	adquirirá	adquiera	no adquiera	adquiera	adquiriera/se	adquiriría
adquirimos	adquiríamos	adquirimos	adquiriremos			adquiramos	adquiriéramos/semos	adquiriríamos
adquirís	adquiríais	adquiristeis	adquiriréis	adquirid	no adquiráis	adquiráis	adquirierais/seis	adquiriríais
adquieren	adquirían	adquirieron	adquirirán	adquieran	no adquieran	adquieran	adquirieran/sen	adquirirían

6. ALMORZAR Gerundio: almorzando Participio: almorzado

INDICATIVO						SUBJUNTIVO		CONDICIONAL
almuerzo	almorzaba	almorcé	almorzaré			almuerce	almorzara/se	almorzaría
almuerzas	almorzabas	almorzaste	almorzarás	almuerza	no almuerces	almuerces	almorzaras/ses	almorzarías
almuerza	almorzaba	almorzó	almorzará	almuerce	no almuerce	almuerce	almorzara/se	almorzaría
almorzamos	almorzábamos	almorzamos	almorzaremos			almorcemos	almorzáramos/semos	almorzaríamos
almorzáis	almorzabais	almorzasteis	almorzaréis	almorzad	no almorcéis	almorcéis	almorzarais/seis	almorzaríais
almuerzan	almorzaban	almorzaron	almorzarán	almuercen	no almuercen	almuercen	almorzaran/sen	almorzarían

7. ANDAR Gerundio: andando Participio: andado

INDICATIVO						SUBJUNTIVO		CONDICIONAL
ando	andaba	anduve	andaré			ande	anduviera/se	andaría
andas	andabas	anduviste	andarás	anda	no andes	andes	anduvieras/ses	andarías
anda	andaba	anduvo	andará	ande	no ande	ande	anduviera/se	andaría
andamos	andábamos	anduvimos	andaremos			andemos	anduviéramos/semos	andaríamos
andáis	andabais	anduvisteis	andaréis	andad	no andéis	andéis	anduvierais/seis	andaríais
andan	andaban	anduvieron	andarán	anden	no anden	anden	anduvieran/sen	andarían

8. AVERIGUAR Gerundio: averiguando Participio: averiguado

INDICATIVO						SUBJUNTIVO		CONDICIONAL
averiguo	averiguaba	averigüé	averiguaré			averigüe	averiguara/se	averiguaría
averiguas	averiguabas	averiguaste	averiguarás	averigua	no averigües	averigües	averiguaras/ses	averiguarías
averigua	averiguaba	averiguó	averiguará	averigüe	no averigüe	averigüe	averiguara/se	averiguaría
averiguamos	averiguábamos	averiguamos	averiguaremos			averigüemos	averiguáramos/semos	averiguaríamos
averiguáis	averiguabais	averiguasteis	averiguaréis	averiguad	no averigüéis	averigüéis	averiguarais/seis	averiguaríais
averiguan	averiguaban	averiguaron	averiguarán	averigüen	no averigüen	averigüen	averiguaran/sen	averiguarían

9. BUSCAR Gerundio: buscando Participio: buscado

INDICATIVO						SUBJUNTIVO		CONDICIONAL
busco	buscaba	busqué	buscaré			busque	buscara/buscase	buscaría
buscas	buscabas	buscaste	buscarás	busca	no busques	busques	buscaras/buscases	buscarías
busca	buscaba	buscó	buscará	busque	no busque	busque	buscara/buscase	buscaría
buscamos	buscábamos	buscamos	buscaremos			busquemos	buscáramos/semos	buscaríamos
buscáis	buscabais	buscasteis	buscaréis	buscad	no busquéis	busquéis	buscarais/buscaseis	buscaríais
buscan	buscaban	buscaron	buscarán	busquen	no busquen	busquen	buscaran/buscasen	buscarían

10. CABER Gerundio: cabiendo Participio: cabido

INDICATIVO						SUBJUNTIVO		CONDICIONAL
quepo	cabía	cupe	cabré			quepa	cupiera/cupiese	cabría
cabes	cabías	cupiste	cabrás	cabe	no quepáis	quepas	cupieras/cupieses	cabrías
cabe	cabía	cupo	cabrá	quepa	no quepa	quepa	cupiera/cupiese	cabría
cabemos	cabíamos	cupimos	cabremos			quepamos	cupiéramos/semos	cabríamos
cabéis	cabíais	cupisteis	cabréis	cabed	no quepáis	quepáis	cupiera/cupiese	cabríais
caben	cabían	cupieron	cabrán	quepan	no quepan	quepan	cupiera/cupiese	cabrían

11. CAER Gerundio: cayendo Participio: caído

INDICATIVO						SUBJUNTIVO		CONDICIONAL
caigo	caía	caí	caeré			caiga	cayera/cayese	caería
caes	caías	caíste	caerás	cae	no caigas	caigas	cayeras/cayeses	caerías
cae	caía	cayó	caerá	caiga	no caiga	caiga	cayera/cayese	caería
caemos	caíamos	caímos	caeremos			caigamos	cayéramos/cayésemos	caeríamos
caéis	caíais	caísteis	caeréis	caed	no caigáis	caigáis	cayerais/cayeseis	caeríais
caen	caían	cayeron	caerán	caigan	no caigan	caigan	cayeran/cayesen	caerían

12. COGER Gerundio: cogiendo Participio: cogido

INDICATIVO						SUBJUNTIVO		CONDICIONAL
cojo	cogía	cogí	cogeré			coja	cogiera/se	cogería
coges	cogías	cogiste	cogerás	coge	no cojas	cojas	cogieras/ses	cogerías
coge	cogía	cogió	cogerá	coja	no coja	coja	cogiera/se	cogería
cogemos	cogíamos	cogimos	cogeremos			cojamos	cogiéramos/semos	cogeríamos
cogéis	cogíais	cogisteis	cogeréis	coged	no cojáis	cojáis	cogierais/seis	cogeríais
cogen	cogían	cogieron	cogerán	cojan	no cojan	cojan	cogieran/sen	cogerían

13. COLGAR Gerundio: colgando Participio: colgado

INDICATIVO						SUBJUNTIVO		CONDICIONAL
cuelgo	colgaba	colgué	colgaré			cuelgue	colgara/se	colgaría
cuelgas	colgabas	colgaste	colgarás	cuelga	no cuelgues	cuelgues	colgaras/ses	colgarías
cuelga	colgaba	colgó	colgará	cuelgue	no cuelgue	cuelgue	colgara/se	colgaría
colgamos	colgábamos	colgamos	colgaremos			colguemos	colgáramos/semos	colgaríamos
colgáis	colgabais	colgasteis	colgaréis	colgad	no colguéis	colguéis	colgarais/seis	colgaríais
cuelgan	colgaban	colgaron	colgarán	cuelguen	no cuelguen	cuelguen	colgaran/sen	colgarían

INDICATIVO						SUBJUNTIVO		CONDICIONAL
Presente	Pretérito Imperfecto	Pretérito Indefinido	Futuro Simple	Imperativo Afirmativo	Negativo	Presente	Pretérito Imperfecto	Simple

14. COMENZAR Gerundio: comenzando Participio: comenzado

comienzo	comenzaba	comencé	comenzaré			comience	comenzara/se	comenzaría
comienzas	comenzabas	comenzaste	comenzarás	comienza	no comiences	comiences	comenzaras/ses	comenzarías
comienza	comenzaba	comenzó	comenzará	comience	no comience	comience	comenzara/se	comenzaría
comenzamos	comenzábamos	comenzamos	comenzaremos			comencemos	comenzáramos/semos	comenzaríamos
comenzáis	comenzabais	comenzasteis	comenzaréis	comenzad	no comencéis	comencéis	comenzarais/seis	comenzaríais
comienzan	comenzaban	comenzaron	comenzarán	comiencen	no comiencen	comiencen	comenzaran/sen	comenzarían

15. CONDUCIR Gerundio: conduciendo Participio: conducido

conduzco	conducía	conduje	conduciré			conduzca	condujera/se	conduciría
conduces	conducías	condujiste	conducirás	conduce	no conduzcas	conduzcas	condujeras/ses	conducirías
conduce	conducía	condujo	conducirá	conduzca	no conduzca	conduzca	condujera/se	conduciría
conducimos	conducíamos	condujimos	conduciremos			conduzcamos	condujéramos/semos	conduciríamos
conducís	conducíais	condujisteis	conduciréis	conducid	no conduzcáis	conduzcáis	condujerais/seis	conduciríais
conducen	conducían	condujeron	conducirán	conduzcan	no conduzcan	conduzcan	condujeran/sen	conducirían

16. CONOCER Gerundio: conociendo Participio: conocido

conozco	conocía	conocí	conoceré			conozca	conociera/se	conocería
conoces	conocías	conociste	conocerás	conoce	no conozcas	conozcas	conocieras/ses	conocerías
conoce	conocía	conoció	conocerá	conozca	no conozca	conozca	conociera/se	conocería
conocemos	conocíamos	conocimos	conoceremos			conozcamos	conociéramos/semos	conoceríamos
conocéis	conocíais	conocisteis	conoceréis	conoced	no conozcáis	conozcáis	conocierais/seis	conoceríais
conocen	conocían	conocieron	conocerán	conozcan	no conozcan	conozcan	conocieran/sen	conocerían

17. CONTAR Gerundio: contando Participio: contado

cuento	contaba	conté	contaré			cuente	contara/se	contaría
cuentas	contabas	contaste	contarás	cuenta	no cuentes	cuentes	contaras/ses	contarías
cuenta	contaba	contó	contará	cuente	no cuente	cuente	contara/se	contaría
contamos	contábamos	contamos	contaremos			contemos	contáramos/semos	contaríamos
contáis	contabais	contasteis	contaréis	contad	no contéis	contéis	contarais/seis	contaríais
cuentan	contaban	contaron	contarán	cuenten	no cuenten	cuenten	contaran/sen	contarían

18. DAR Gerundio: dando Participio: dado

doy	daba	di	daré			dé	diera/diese	daría
das	dabas	diste	darás	da	no des	des	dieras/dieses	darías
da	daba	dio	dará	dé	no dé	de	diera/diese	daría
damos	dábamos	dimos	daremos			demos	diéramos/diésemos	daríamos
dais	dabais	disteis	daréis	dad	no deis	deis	dierais/dieseis	daríais
dan	daban	dieron	darán	den	no den	den	dieran/diesen	darían

19. DECIR Gerundio: diciendo Participio: dicho

digo	decía	dije	diré			diga	dijera/dijese	diría
dices	decías	dijiste	dirás	di	no digas	digas	dijeras/dijeses	dirías
dice	decía	dijo	dirá	diga	no diga	diga	dijera/dijese	diría
decimos	decíamos	dijimos	diremos			digamos	dijéramos/dijésemos	diríamos
decís	decíais	dijisteis	diréis	decid	no digáis	digáis	dijerais/dijeseis	diríais
dicen	decían	dijeron	dirán	digan	no digan	digan	dijeran/dijesen	dirían

20. DIRIGIR Gerundio: dirigiendo Participio: dirigido

dirijo	dirigía	dirigí	dirigiré			dirija	dirigiera/se	dirigiría
diriges	dirigías	dirigiste	dirigirás	dirige	no dirijas	dirijas	dirigieras/ses	dirigirías
dirige	dirigía	dirigió	dirigirá	dirija	no dirija	dirija	dirigiera/se	dirigiría
dirigimos	dirigíamos	dirigimos	dirigiremos			dirijamos	dirigiéramos/semos	dirigiríamos
dirigís	dirigíais	dirigisteis	dirigiréis	dirigid	no dirijáis	dirijáis	dirigierais/seis	dirigiríais
dirigen	dirigían	dirigieron	dirigirán	dirijan	no dirijan	dirijan	dirigieran/sen	dirigirían

21. DISTINGUIR Gerundio: distinguiendo Participio: distinguido

distingo	distinguía	distinguí	distinguiré			distinga	distinguiera/se	distinguiría
distingues	distinguías	distinguiste	distinguirás	distingue	no distingas	distingas	distinguieras/ses	distinguirías
distingue	distinguía	distinguió	distinguirá	distinga	no distinga	distinga	distinguiera/se	distinguiría
distinguimos	distinguíamos	distinguimos	distinguiremos			distingamos	distinguiéramos/semos	distinguiríamos
distinguís	distinguíais	distinguisteis	distinguiréis	distinguid	no distingáis	distingáis	distinguierais/seis	distinguiríais
distinguen	distinguían	distinguieron	distinguirán	distingan	no distingan	distingan	distinguieran/sen	distinguirían

22. DORMIR Gerundio: durmiendo Participio: dormido

duermo	dormía	dormí	dormiré			duerma	durmiera/se	dormiría
duermes	dormías	dormiste	dormirás	duerme	no duermas	duermas	durmieras/ses	dormirías
duerme	dormía	durmió	dormirá	duerma	no duerma	duerma	durmiera/se	dormiría
dormimos	dormíamos	dormimos	dormiremos			durmamos	durmiéramos/semos	dormiríamos
dormís	dormíais	dormisteis	dormiréis	dormid	no durmáis	durmáis	durmierais/seis	dormiríais
duermen	dormían	durmieron	dormirán	duerman	no duerman	duerman	durmieran/sen	dormirían

23. ENVIAR Gerundio: enviando Participio: enviado

envío	enviaba	envié	enviaré			envíe	enviara/se	enviaría
envías	enviabas	enviaste	enviarás	envía	no envíes	envíes	enviaras/ses	enviarías
envía	enviaba	envió	enviará	envíe	no envíe	envíe	enviara/se	enviaría
enviamos	enviábamos	enviamos	enviaremos			enviemos	enviáramos/semos	enviaríamos
enviáis	enviabais	enviasteis	enviaréis	enviad	no enviéis	enviéis	enviarais/seis	enviaríais
envían	enviaban	enviaron	enviarán	envíen	no envíen	envíen	enviaran/sen	enviarían

INDICATIVO / SUBJUNTIVO / CONDICIONAL

Presente	Pretérito Imperfecto	Pretérito Indefinido	Futuro Simple	Imperativo Afirmativo	Negativo	Presente	Pretérito Imperfecto	Simple

24. ESTAR Gerundio: estando Participio: estado

Presente	Pret. Imperfecto	Pret. Indefinido	Futuro Simple	Imp. Afirmativo	Negativo	Pres. (Subj)	Pret. Imperfecto	Condicional
estoy	estaba	estuve	estaré			esté	estuviera/se	estaría
estás	estabas	estuviste	estarás	está	no estés	estés	estuvieras/ses	estarías
está	estaba	estuvo	estará	esté	no esté	esté	estuviera/se	estaría
estamos	estábamos	estuvimos	estaremos			estemos	estuviéramos/semos	estaríamos
estáis	estabais	estuvisteis	estaréis	estad	no estéis	estéis	estuvierais/seis	estaríais
están	estaban	estuvieron	estarán	estén	no estén	estén	estuvieran/sen	estarían

25. FREGAR Gerundio: fregando Participio: fregado

Presente	Pret. Imperfecto	Pret. Indefinido	Futuro Simple	Imp. Afirmativo	Negativo	Pres. (Subj)	Pret. Imperfecto	Condicional
friego	fregaba	fregué	fregaré			friegue	fregara/se	fregaría
friegas	fregabas	fregaste	fregarás	friega	no friegues	friegues	fregaras/ses	fregarías
friega	fregaba	fregó	fregará	friegue	no friegue	friegue	fregara/se	fregaría
fregamos	fregábamos	fregamos	fregaremos			freguemos	fregáramos/semos	fregaríamos
fregáis	fregabais	fregasteis	fregaréis	fregad	no freguéis	freguéis	fregarais/seis	fregaríais
friegan	fregaban	fregaron	fregarán	frieguen	no frieguen	frieguen	fregaran/sen	fregarían

26. HABER Gerundio: habiendo Participio: habido

Presente	Pret. Imperfecto	Pret. Indefinido	Futuro Simple	Imp. Afirmativo	Negativo	Pres. (Subj)	Pret. Imperfecto	Condicional
he	había	hube	habré			haya	hubiera/se	habría
has	habías	hubiste	habrás	he (única forma en uso)		hayas	hubieras/ses	habrías
ha/hay* (* impersonal)	había	hubo	habrá			haya	hubiera/se	habría
hemos	habíamos	hubimos	habremos			hayamos	hubiéramos/semos	habríamos
habéis	habíais	hubisteis	habréis			hayáis	hubierais/seis	habríais
han	habían	hubieron	habrán			hayan	hubieran/sen	habrían

27. HACER Gerundio: haciendo Participio: hecho

Presente	Pret. Imperfecto	Pret. Indefinido	Futuro Simple	Imp. Afirmativo	Negativo	Pres. (Subj)	Pret. Imperfecto	Condicional
hago	hacía	hice	haré			haga	hiciera/se	haría
haces	hacías	hiciste	harás	haz	no hagas	hagas	hicieras/ses	harías
hace	hacía	hizo	hará	haga	no haga	haga	hiciera/se	haría
hacemos	hacíamos	hicimos	haremos			hagamos	hiciéramos/semos	haríamos
hacéis	hacíais	hicisteis	haréis	haced	no hagáis	hagáis	hicierais/seis	haríais
hacen	hacían	hicieron	harán	hagan	no hagan	hagan	hicieran/sen	harían

28. INCLUIR Gerundio: incluyendo Participio: incluido

Presente	Pret. Imperfecto	Pret. Indefinido	Futuro Simple	Imp. Afirmativo	Negativo	Pres. (Subj)	Pret. Imperfecto	Condicional
incluyo	incluía	incluí	incluiré			incluya	incluyera/se	incluiría
incluyes	incluías	incluiste	incluirás	incluye	no incluyas	incluyas	incluyeras/ses	incluirías
incluye	incluía	incluyó	incluirá	incluya	no incluya	incluya	incluyera/se	incluiría
incluimos	incluíamos	incluimos	incluiremos			incluyamos	incluyéramos/semos	incluiríamos
incluís	incluíais	incluisteis	incluiréis	incluid	no incluyáis	incluyáis	incluyerais/seis	incluiríais
incluyen	incluían	incluyeron	incluirán	incluyan	no incluyan	incluyan	incluyeran/sen	incluirían

29. IR Gerundio: yendo Participio: ido

Presente	Pret. Imperfecto	Pret. Indefinido	Futuro Simple	Imp. Afirmativo	Negativo	Pres. (Subj)	Pret. Imperfecto	Condicional
voy	iba	fui	iré			vaya	fuera/fuese	iría
vas	ibas	fuiste	irás	ve	no vayas	vayas	fueras/fueses	irías
va	iba	fue	irá	vaya	no vaya	vaya	fuera/fuese	iría
vamos	íbamos	fuimos	iremos			vayamos	fuéramos/fuésemos	iríamos
vais	ibais	fuisteis	iréis	id	no vayáis	vayáis	fuerais/fueseis	iríais
van	iban	fueron	irán	vayan	no vayan	vayan	fueran/fuesen	irían

30. JUGAR Gerundio: jugando Participio: jugado

Presente	Pret. Imperfecto	Pret. Indefinido	Futuro Simple	Imp. Afirmativo	Negativo	Pres. (Subj)	Pret. Imperfecto	Condicional
juego	jugaba	jugué	jugaré			juegue	jugara/se	jugaría
juegas	jugabas	jugaste	jugarás	juega	no juegues	juegues	jugaras/ses	jugarías
juega	jugaba	jugó	jugará	juegue	no juegue	juegue	jugara/se	jugaría
jugamos	jugábamos	jugamos	jugaremos			juguemos	jugáramos/semos	jugaríamos
jugáis	jugabais	jugasteis	jugaréis	jugad	no juguéis	juguéis	jugarais/seis	jugaríais
juegan	jugaban	jugaron	jugarán	jueguen	no jueguen	jueguen	jugaran/sen	jugaríans

31. LEER Gerundio: leyendo Participio: leído

Presente	Pret. Imperfecto	Pret. Indefinido	Futuro Simple	Imp. Afirmativo	Negativo	Pres. (Subj)	Pret. Imperfecto	Condicional
leo	leía	leí	leeré			lea	leyera/leyese	leería
lees	leías	leíste	leerás	lee	no leas	leas	leyeras/leyeses	leerías
lee	leía	leyó	leerá	lea	no lea	lea	leyera/leyese	leería
leemos	leíamos	leímos	leeremos			leamos	leyéramos/leyésemos	leeríamos
leéis	leíais	leísteis	leeréis	leed	no leáis	leáis	leyerais/leyeseis	leeríais
leen	leían	leyeron	leerán	lean	no lean	lean	leyeran/leyesen	leerían

32. LLEGAR Gerundio: llegando Participio: llegado

Presente	Pret. Imperfecto	Pret. Indefinido	Futuro Simple	Imp. Afirmativo	Negativo	Pres. (Subj)	Pret. Imperfecto	Condicional
llego	llegaba	llegué	llegaré			llegue	llegara/se	llegaría
llegas	llegabas	llegaste	llegarás	llega	no llegues	llegues	llegaras/ses	llegarías
llega	llegaba	llegó	llegará	llegue	no llegue	llegue	llegara/se	llegaría
llegamos	llegábamos	llegamos	llegaremos			lleguemos	llegáramos/semos	llegaríamos
llegáis	llegabais	llegasteis	llegaréis	llegad	no lleguéis	lleguéis	llegarais/seis	llegaríais
llegan	llegaban	llegaron	llegarán	lleguen	no lleguen	lleguen	llegaran/sen	llegarían

33. MOVER Gerundio: moviendo Participio: movido

Presente	Pret. Imperfecto	Pret. Indefinido	Futuro Simple	Imp. Afirmativo	Negativo	Pres. (Subj)	Pret. Imperfecto	Condicional
muevo	movía	moví	moverán			mueva	moviera/se	movería
mueves	movías	moviste	moverás	mueve	no muevas	muevas	movieras/ses	moverías
mueve	movía	movió	moverá	mueva	no mueva	mueva	moviera/se	movería
movemos	movíamos	movimos	moveremos			movamos	moviéramos/semos	moveríamos
movéis	movíais	movisteis	moveréis	moved	no mováis	mováis	movierais/seis	moveríais
mueven	movían	movieron	moverán	muevan	no muevan	muevan	movieran/sen	moverían

INDICATIVO | SUBJUNTIVO | CONDICIONAL

Presente	Pretérito Imperfecto	Pretérito Indefinido	Futuro Simple	Imperativo Afirmativo	Negativo	Presente	Pretérito Imperfecto	Simple

34. OÍR Gerundio: oyendo Participio: oído

Presente	Pretérito Imperfecto	Pretérito Indefinido	Futuro Simple	Imperativo Afirmativo	Negativo	Presente	Pretérito Imperfecto	Simple
oigo	oía	oí	oiré			oiga	oyera/oyese	oiría
oyes	oías	oíste	oirás	oye	no oigas	oigas	oyeras/oyeses	oirías
oye	oía	oyó	oirá	oiga	no oiga	oiga	oyera/oyese	oiría
oímos	oíamos	oímos	oiremos			oigamos	oyéramos/oyésemos	oiríamos
ois	oíais	oísteis	oiréis	oíd	no oigáis	oigáis	oyerais/seis	oiríais
oyen	oían	oyeron	oirán	oigan	no oigan	oigan	oyeran/sen	oirían

35. PENSAR Gerundio: pensando Participio: pensado

Presente	Pretérito Imperfecto	Pretérito Indefinido	Futuro Simple	Imperativo Afirmativo	Negativo	Presente	Pretérito Imperfecto	Simple
pienso	pensaba	pensé	pensaré			piense	pensara/se	pensaría
piensas	pensabas	pensaste	pensarás	piensa	no pienses	pienses	pensaras/ses	pensarías
piensa	pensaba	pensó	pensará	piense	no piense	piense	pensara/se	pensaría
pensamos	pensábamos	pensamos	pensaremos			pensemos	pensáramos/semos	pensaríamos
pensáis	pensabais	pensasteis	pensaréis	pensad	no penséis	penséis	pensarais/seis	pensaríais
piensan	pensaban	pensaron	pensarán	piensen	no piensen	piensen	pensaran/sen	pensarían

36. PERDER Gerundio: perdiendo Participio: perdido

Presente	Pretérito Imperfecto	Pretérito Indefinido	Futuro Simple	Imperativo Afirmativo	Negativo	Presente	Pretérito Imperfecto	Simple
pierdo	perdía	perdí	perderé			pierda	perdiera/se	perdería
pierdes	perdías	perdiste	perderás	pierde	no pierdas	pierdas	perdieras/ses	perderías
pierde	perdía	perdió	perderá	pierda	no pierda	pierda	perdiera/se	perdería
perdemos	perdíamos	perdimos	perderemos			perdamos	perdiéramos/semos	perderíamos
perdéis	perdíais	perdisteis	perderéis	perded	no perdáis	perdáis	perdierais/seis	perderíais
pierden	perdían	perdieron	perderán	pierdan	no pierdan	pierdan	perdieran/sen	perderían

37. PODER Gerundio: pudiendo Participio: podido

Presente	Pretérito Imperfecto	Pretérito Indefinido	Futuro Simple	Imperativo Afirmativo	Negativo	Presente	Pretérito Imperfecto	Simple
puedo	podía	pude	podré			pueda	pudiera/se	podría
puedes	podías	pudiste	podrás	puede	no puedas	puedas	pudieras/ses	podrías
puede	podía	pudo	podrá	pueda	no pueda	pueda	pudiera/se	podría
podemos	podíamos	pudimos	podremos			podamos	pudiéramos/semos	podríamos
podéis	podíais	pudisteis	podréis	poded	no podáis	podáis	pudierais/seis	podríais
pueden	podían	pudieron	podrán	puedan	no puedan	puedan	pudieran/sen	podrían

38. PONER Gerundio: poniendo Participio: puesto

Presente	Pretérito Imperfecto	Pretérito Indefinido	Futuro Simple	Imperativo Afirmativo	Negativo	Presente	Pretérito Imperfecto	Simple
pongo	ponía	puse	pondré			ponga	pusiera/se	pondría
pones	ponías	pusiste	pondrás	pon	no pongas	pongas	pusieras/ses	pondrías
pone	ponía	puso	pondrá	ponga	no ponga	ponga	pusiera/se	pondría
ponemos	poníamos	pusimos	pondremos			pongamos	pusiéramos/semos	pondríamos
ponéis	poníais	pusisteis	pondréis	poned	no pongáis	pongáis	pusierais/seis	pondríais
ponen	ponían	pusieron	pondrán	pongan	no pongan	pongan	pusieran/sen	pondrían

39. QUERER Gerundio: queriendo Participio: querido

Presente	Pretérito Imperfecto	Pretérito Indefinido	Futuro Simple	Imperativo Afirmativo	Negativo	Presente	Pretérito Imperfecto	Simple
quiero	quería	quise	querré			quiera	quisiera/se	querría
quieres	querías	quisiste	querrás	quiere	no quieras	quieras	quisieras/ses	querrías
quiere	quería	quiso	querrá	quiera	no quiera	quiera	quisiera/se	querría
queremos	queríamos	quisimos	querremos			queramos	quisiéramos/semos	querríamos
queréis	queríais	quisisteis	querréis	quered	no queráis	queráis	quisierais/seis	querríais
quieren	querían	quisieron	querrán	quieran	no quieran	quieran	quisieran/sen	querrían

40. REÍR Gerundio: riendo Participio: reído

Presente	Pretérito Imperfecto	Pretérito Indefinido	Futuro Simple	Imperativo Afirmativo	Negativo	Presente	Pretérito Imperfecto	Simple
río	reía	reí	reiré			ría	riera/riese	reiría
ríes	reías	reíste	reirás	ríe	no rías	rías	rieras/rieses	reirías
ríe	reía	rió	reirá	ría	no ría	ría	riera/riese	reiría
reímos	reíamos	reímos	reiremos			riamos	riéramos/riésemos	reiríamos
reís	reíais	reísteis	reiréis	reíd	no riáis	riáis	rierais/rieseis	reiríais
ríen	reían	rieron	reirán	rían	no rían	rían	rieran/riesen	reiríans

41. REUNIR Gerundio: reuniendo Participio: reunido

Presente	Pretérito Imperfecto	Pretérito Indefinido	Futuro Simple	Imperativo Afirmativo	Negativo	Presente	Pretérito Imperfecto	Simple
reúno	reunía	reuní	reuniré			reúna	reuniera/se	reuniría
reúnes	reunías	reuniste	reunirás	reúne	no reúnas	reúnas	reunieras/ses	reunirías
reúne	reunía	reunió	reunirá	reúna	no reúna	reúna	reuniera/se	reuniría
reunimos	reuníamos	reunimos	reuniremos			reunamos	reuniéramos/semos	reuniríamos
reunís	reuníais	reunisteis	reuniréis	reunid	no reunáis	reunáis	reunierais/seis	reuniríais
reúnen	reunían	reunieron	reunirán	reúnan	no reúnan	reúnan	reunieran/sen	reunirían

42. SABER Gerundio: sabiendo Participio: sabido

Presente	Pretérito Imperfecto	Pretérito Indefinido	Futuro Simple	Imperativo Afirmativo	Negativo	Presente	Pretérito Imperfecto	Simple
sé	sabía	supe	sabré			sepa	supiera/se	sabría
sabes	sabías	supiste	sabrás	sabe	no sepas	sepas	supieras/ses	sabrías
sabe	sabía	supo	sabrá	sepa	no sepa	sepa	supiera/se	sabría
sabemos	sabíamos	supimos	sabremos			sepamos	supiéramos/semos	sabríamos
sabéis	sabíais	supisteis	sabréis	sabed	no sepáis	sepáis	supierais/seis	sabríais
saben	sabían	supieron	sabrán	sepan	no sepan	sepan	supieran/sen	sabrían

43. SALIR Gerundio: saliendo Participio: salido

Presente	Pretérito Imperfecto	Pretérito Indefinido	Futuro Simple	Imperativo Afirmativo	Negativo	Presente	Pretérito Imperfecto	Simple
salgo	salía	salí	saldré			salga	saliera/se	saldría
sales	salías	saliste	saldrás	sal	no salgas	salgas	salieras/ses	saldrías
sale	salía	salió	saldrá	salga	no salga	salga	saliera/se	saldría
salimos	salíamos	salimos	saldremos			salgamos	saliéramos/semos	saldríamos
salís	salíais	salisteis	saldréis	salid	no salgáis	salgáis	salierais/seis	saldríais
salen	salían	salieron	saldrán	salgan	no salgan	salgan	salieran/sen	saldrían

INDICATIVO | SUBJUNTIVO | CONDICIONAL

Presente	Pretérito Imperfecto	Pretérito Indefinido	Futuro Simple	Imperativo Afirmativo	Negativo	Presente	Pretérito Imperfecto	Simple

44. SENTIR Gerundio: sintiendo Participio: sentido

siento	sentía	sentí	sentiré			sienta	sintiera/se	sentiría
sientes	sentías	sentiste	sentirás	siente	no sientas	sientas	sintieras/ses	sentirías
siente	sentía	sintió	sentirá	sienta	no sienta	sienta	sintiera/se	sentiría
sentimos	sentíamos	sentimos	sentiremos			sintamos	sintiéramos/semos	sentiríamos
sentís	sentíais	sentisteis	sentiréis	sentid	no sintáis	sintáis	sintierais/seis	sentiríais
sienten	sentían	sintieron	sentirán	sientan	no sientan	sientan	sintieran/sen	sentirían

45. SER Gerundio: siendo Participio: sido

soy	era	fui	seré			sea	fuera/fuese	sería
eres	eras	fuiste	serás	sé	no seas	seas	fueras/fueses	serías
es	era	fue	será	sea	no sea	sea	fuera/fuese	sería
somos	éramos	fuimos	seremos			seamos	fuéramos/fuésemos	seríamos
sois	erais	fuisteis	seréis	sed	no seáis	seáis	fuerais/fueseis	seríais
son	eran	fueron	serán	sean	no sean	sean	fueran/fuesen	serían

46. SERVIR Gerundio: sirviendo Participio: servido

sirvo	servía	serví	serviré			sirva	sirviera/se	serviría
sirves	servías	serviste	servirás	sirve	no sirvas	sirvas	sirvieras/ses	servirías
sirve	servía	sirvió	servirá	sirva	no sirva	sirva	sirviera/se	serviría
servimos	servíamos	servimos	serviremos			sirvamos	sirviéramos/semos	serviríamos
servís	servíais	servisteis	serviréis	servid	no sirváis	sirváis	sirvierais/seis	serviríais
sirven	servían	sirvieron	servirán	sirvan	no sirvan	sirvan	sirvieran/sen	servirían

47. TENER Gerundio: teniendo Participio: tenido

tengo	tenía	tuve	tendré			tenga	tuviera/tuviese	tendría
tienes	tenías	tuviste	tendrás	ten	no tengas	tengas	tuvieras/tuvieses	tendrías
tiene	tenía	tuvo	tendrá	tenga	no tenga	tenga	tuviera/tuviese	tendría
tenemos	teníamos	tuvimos	tendremos			tengamos	tuviéramos/tuviésemos	tendríamos
tenéis	teníais	tuvisteis	tendréis	tened	no tengáis	tengáis	tuviera/tuviese	tendríais
tienen	tenían	tuvieron	tendrán	tengan	no tengan	tengan	tuviera/tuviese	tendrían

48. TRAER Gerundio: trayendo Participio: traído

traigo	traía	traje	traeré			traiga	trajera/trajese	traería
traes	traías	trajiste	traerás	trae	no traigas	traigas	trajeras/trajeses	traerías
trae	traía	trajo	traerá	traiga	no traiga	traiga	trajera/trajese	traería
traemos	traíamos	trajimos	traeremos			traigamos	trajéramos/trajésemos	traeríamos
traéis	traíais	trajisteis	traeréis	traed	no traigáis	traigáis	trajerais/trajeseis	traeríais
traen	traían	trajeron	traerán	traigan	no traigan	traigan	trajeran/trajesen	traerían

49. UTILIZAR Gerundio: utilizando Participio: utilizado

utilizo	utilizaba	utilicé	utilizaré			utilice	utilizara/se	utilizaría
utilizas	utilizabas	utilizaste	utilizarás	utiliza	no utilices	utilices	utilizaras/ses	utilizarías
utiliza	utilizaba	utilizó	utilizará	utilice	no utilice	utilice	utilizara/se	utilizaría
utilizamos	utilizábamos	utilizamos	utilizaremos			utilicemos	utilizáramos/semos	utilizaríamos
utilizáis	utilizabais	utilizasteis	utilizaréis	utilizad	no utilicéis	utilicéis	utilizarais/seis	utilizaríais
utilizan	utilizaban	utilizaron	utilizarán	utilicen	no utilicen	utilicen	utilizaran/sen	utilizarían

50. VALER Gerundio: valiendo Participio: valido

valgo	valía	valí	valdré			valga	valiera/se	valdría
vales	valías	valiste	valdrás	vale	no valgas	valgas	valieras/ses	valdrías
vale	valía	valió	valdrá	valga	no valga	valga	valiera/valse	valdría
valemos	valíamos	valimos	valdremos			valgamos	valiéramos/semos	valdríamos
valéis	valíais	valisteis	valdréis	valed	no valgáis	valgáis	valierais/seis	valdríais
valen	valían	valieron	valdrán	valgan	no valgan	valgan	valieran/sen	valdrían

51. VENCER Gerundio: venciendo Participio: vencido

venzo	vencía	vencí	venceré			venza	venciera/se	vencería
vences	vencías	venciste	vencerás	vence	no venzas	venzas	vencieras/ses	vencerías
vence	vencía	venció	vencerá	venza	no venza	venza	venciera/se	vencería
vencemos	vencíamos	vencimos	venceremos			venzamos	venciéramos/semos	venceríamos
vencéis	vencíais	vencisteis	venceréis	venced	no venzáis	venzáis	vencierais/seis	venceríais
vencen	vencían	vencieron	vencerán	venzan	no venzan	venzan	vencieran/sen	vencerían

52. VENIR Gerundio: viniendo Participio: venido

vengo	venía	vine	vendré			venga	viniera/se	vendría
vienes	venías	viniste	vendrás	ven	no vengas	vengas	vinieras/ses	vendrías
viene	venía	vino	vendrá	venga	no venga	venga	viniera/se	vendría
venimos	veníamos	vinimos	vendremos			vengamos	viniéramos/semos	vendríamos
venís	veníais	vinisteis	vendréis	venid	no vengáis	vengáis	vinierais/seis	vendríais
vienen	venían	vinieron	vendrán	vengan	no vengan	vengan	vinieran/sen	vendrían

53. VER Gerundio: viendo Participio: venido

veo	veía	vi	veré			vea	viera/viese	vería
ves	veías	viste	verás	ve	no veas	veas	vieras/vieses	verías
ve	veía	vio	verá	vea	no vea	vea	viera/viese	vería
vemos	veíamos	vimos	veremos			veamos	viéramos/viésemos	veríamos
veis	veíais	visteis	veréis	ved	no veáis	veáis	vierais/vieseis	veríais
ven	veían	vieron	verán	vean	no vean	vean	vieran/viesen	verían

ÍNDICE DE VERBOS DE AULA 4

La siguiente lista recoge los verbos que aparecen en **Aula 4**. Junto a cada verbo aparece un número que indica el modelo de conjugación.

abandonar, 1
abducir, 15
abrazar, 49
abrir, 3*
absorber, 2
aburrir(se), 3
acabar, 1
acampar, 1
aceptar, 1
acercar(se), 9
acertar, 35
aclamar, 1
aclarar(se), 1
acompañar, 1
aconsejar, 1
acoplar(se), 1
acordar(se), 17
acostar(se), 17
actuar, 4
acudir, 3
acusar, 1
adaptar(se), 1
adelgazar, 49
adivinar, 1
adjuntar, 1
admirar, 1
admitir, 3
adoptar, 1
adorar, 1
adornar, 1
adquirir, 5
advertir, 44
afectar, 1
afeitarse, 1
afirmar, 1
agobiar, 1
agradar, 1
agradecer, 16
agrupar, 1
aguantar, 1
agujerear, 1
ahorrar(se), 1
alargar(se), 32
albergar, 32
alertar, 1
almorzar, 6
alojar(se), 1
alquilar, 1
aludir, 3
alzar(se), 49
amar, 1
amenazar, 49
analizar, 49
andar, 7
anochecer, 16
anotar, 1
anular(se), 1
anunciar, 1
añadir, 3
apagar, 32
aparcar, 9

aparecer, 16
apasionar, 1
apetecer, 16
aplicar, 9
aportar, 1
apreciar, 1
aprender, 2
aprobar, 17
aprovechar, 1
apuntar(se), 1
archivar, 1
argumentar, 1
arreglar, 1
arrepentirse, 44
arrodillar(se), 1
arriesgar, 32
arrugar, 32
ascender, 36
asegurar, 1
asesinar, 1
asistir, 3
asociar, 1
asomar(se), 1
asumir, 3
atar(se), 1
atender, 36
atraer, 48
atravesar, 35
atreverse, 2
augurar, 1
aumentar, 1
autorizar, 49
avanzar, 49
aventurar(se), 3
averiguar, 8
avisar, 1
ayudar, 1
bailar, 1
bajar, 1
bañar(se), 1
beber, 2
bombardear, 1
borrar, 1
brillar, 1
burlarse, 1
buscar, 9
caber, 10
caer, 11
calcular, 1
calmar, 1
callar(se), 1
cambiar(se), 1
caminar, 1
canalizar, 49
cansar(se), 1
cantar, 1
captar, 1
carecer, 16
cargar, 32
casar(se), 1
castigar, 32

causar, 1
ceder, 2
celebrar, 1
cenar, 1
censurar, 1
cerrar, 35
charlar, 1
chatear, 1
chocar, 9
circular, 1
citar, 1
clasificar, 9
clausurar, 1
clonar, 1
cobrar, 1
cocinar, 1
coger, 12
coincidir, 3
colaborar, 1
coleccionar, 1
colgar, 13
colocar, 9
combinar(se), 1
comentar, 1
comenzar, 14
comer, 2
cometer, 2
compactar, 1
comparar, 1
compartir, 3
compensar, 1
competir, 46
completar, 1
componer, 38
comprar, 1
comprender, 2
comprobar, 17
comunicar(se), 9
conceder, 2
concentrar(se), 1
concienciar, 1
concluir, 28
condenar, 1
conducir, 15
conectar(se), 1
confesar, 35
confiar, 23
confirmar, 1
conformar(se), 1
confundir, 3
congelar, 1
congregar, 32
conjugar, 32
conllevar, 1
conocer(se), 16
conseguir, 46
conservar, 1
considerar, 1
consistir, 3
constar, 1
construir, 28

consumir, 3
contaminar, 1
contar, 17
contemplar, 1
contener, 47
contestar, 1
continuar, 4
contradecir, 19
contraer, 48
contratar, 1
controlar, 1
convencer, 51
conversar, 1
convertir(se), 44
cooperar, 1
coquetear, 1
corregir, 46**
correr, 2
corresponder, 2
cortar(se), 1
costar, 17
crear, 1
crecer, 16
creer, 31
criar(se), 23
cruzar, 49
cubrir, 3*
cuidar(se), 1
cultivar, 1
cumplir, 3
dar, 18
debatir, 3
deber, 2
decidir, 3
decir, 19
declarar(se), 1
dedicar(se), 9
deducir, 15
defender, 36
definir, 3
deificar, 9
dejar, 1
demostrar, 17
denominar, 1
denunciar, 1
depender, 2
derrotar, 1
desagradar, 1
desahogar(se), 32
desaparecer, 16
desarrollar(se), 3
desayunar, 1
descansar, 1
descender, 36
descolgar, 13
desconectar, 1
describir, 3*
descubrir, 3*
desear, 1
desenvolver(se), 33
desesperar(se), 1

deshacer, 27
desnudar(se), 1
despedir(se), 46
desplazar(se), 49
despertar(se), 35
despreocupar(se), 1
destacar, 9
destrozar, 49
destruir, 28
desvelar(se), 1
detectar, 1
detener, 47
determinar, 1
devolver, 33*
dibujar, 1
dimitir, 3
dirigir(se), 13
disculpar(se), 1
discutir, 3
diseñar, 1
disfrazar(se), 49
disfrutar, 1
disgustar, 1
disminuir, 28
disponer, 38
distanciar, 1
distinguir, 21
distribuir, 28
dividir, 3
divorciarse, 1
doblar, 1
doler, 33
dominar, 1
dormir(se), 22
dudar, 1
duplicar, 9
durar, 1
echar(se), 1
educar, 9
ejecutar, 1
elaborar, 1
elegir, 46**
eliminar, 1
elogiar, 1
emborrachar(se), 1
emitir, 3
emocionar(se), 1
empeñar(se), 1
empeorar, 1
empezar, 14
enamorar(se), 1
encaminar(se), 1
encargar(se), 32
encantar, 1
encender, 36
encontrar(se), 17
enfadarse, 1
enfermar, 1
enfrentar, 1
englobar, 1
engordar, 1

engranar, 1
enlazar, 49
ensayar, 1
enseñar, 1
entender, 36
enterar(se), 1
entonar, 1
entrar, 1
entregar, 32
entrevistar, 1
entristecer, 16
entusiasmar, 1
enviar, 23
equivocar(se), 9
escapar(se), 1
esclavizar, 49
escoger, 12
esconder, 2
escribir, 3*
escuchar, 1
espantar, 1
especificar, 9
esperar, 3
esquiar, 23
establecer, 16
estafar, 1
estallar, 1
estar, 24
estrenar, 1
estropear, 1
estudiar, 1
evaluar, 4
evitar, 1
evocar, 9
examinar, 1
exclamar, 1
exigir, 20
existir, 3
expandir, 3
explicar(se), 9
explicitar, 1
explorar, 1
explotar, 1
exponer, 38
exportar, 1
expresar, 1
fabricar, 9
facilitar, 1
fallecer, 16
faltar, 1
fascinar, 1
felicitar, 1
fiar(se), 23
fijar(se), 1
filmar, 1
flotar, 1
formar, 1
formular, 1
frecuentar, 1
fregar, 25
frenar, 1

fumar, 1
funcionar, 1
fundar, 1
ganar, 1
garabatear, 1
garantizar, 49
gastar, 1
gesticular, 1
gobernar, 35
grabar, 1
gritar, 1
guardar, 1
gustar, 1
haber, 26
habitar, 1
hablar, 1
hacer, 27
honrar, 1
horrorizar, 49
hospedar(se), 1
huir, 28
hundir(se), 3
idear, 1
identificar, 9
iluminar, 1
ilustrar, 1
imaginar, 1
imitar, 1
impactar, 1
implicar, 9
importar, 1
improvisar, 1
impulsar, 1
inaugurar, 1
inclinar(se), 1
incluir, 28
independizarse, 49
indicar, 9
influir, 28
informar, 1
iniciar, 1
inscribir, 3*
insistir, 3
instalar(se), 1
integrar, 1
intentar, 1
interactuar, 4
intercambiar, 1
interesar, 1
interferir, 44
internar(se), 1
interpretar, 1
interrumpir, 3
intervenir, 52
introducir, 15
intuir, 28
invadir, 3
inventar, 1
investir, 46
invitar, 1
invocar, 9

ir, 29
irritar, 1
jubilarse, 1
jugar, 30
justificar(se), 9
lamentar, 1
lanzar, 49
lavar, 1
leer, 31
legalizar, 49
levantar(se), 1
liberar, 1
licenciarse, 1
liderar, 1
limpiar, 1
llamar(se), 1
llegar, 32
llenar, 1
llevar, 1
llorar, 1
llover, 33 (unipersonal)
localizar, 49
lograr, 1
madurar, 1
maltratar,
mandar, 1
manifestar, 35
mantener(se), 47
maquillar(se), 1
marcar, 9
mascar, 9
masticar, 9
matizar, 49
matricular(se), 1
mejorar, 1
memorizar, 9
mencionar, 1
mentir, 44
meter(se), 2
mezclar, 1
mirar, 1
modificar, 9
molestar, 1
montar, 1
morder, 33
morir(se), 22*
mostrar, 17
mover(se), 33
movilizar(se), 49
mudar(se), 1
multiplicar, 9
nacer, 16
narrar, 1
naufragar, 32
navegar, 32
necesitar, 1
negar(se), 25
negociar, 1
neutralizar, 49
notar, 1
obligar, 32

obnubilar(se), 1
observar, 1
obsesionar, 1
obtener, 47
ocupar, 1
ocurrir, 3
odiar, 1
ofrecer(se), 16
oír, 34
oler, 33****
olvidar, 1
operar, 1
opinar, 1
ordenar, 1
organizar, 49
orientar, 1
oscurecer, 16
pactar, 1
pagar, 32
palpar, 1
parar(se), 1
parecer(se), 16
participar, 1
partir(se), 3
pasar, 1
pasear, 1
patentar, 1
pedalear, 1
pedir, 46
pegar, 32
peinar(se), 1
pelear(se), 1
penetrar, 1
pensar, 35
perder(se), 36
perdonar, 1
perfeccionar, 1
perforar(se), 1
permanecer, 16
permitir, 3
pertenecer, 16
pillar, 1
pintar(se), 1
planear, 1
plantar, 1
plantear, 1
plegar, 35
poblar, 17
poder, 37
poner(se), 38
popularizar, 9
poseer, 31
potenciar, 1
practicar, 9
precipitar, 1
precisar, 1
predecir, 19
preferir, 44
preguntar, 1
premiar, 1
preocupar(se), 1

preparar, 1
presentar(se), 1
preservar, 1
prestar, 1
presumir, 3
pretender, 3
prevenir, 52
probar, 17
proceder, 2
proclamar(se), 1
producir(se), 15
progresar, 1
prohibir, 3
prometer, 2
promover, 33
pronunciar, 1
proponer, 38
prosperar, 1
proteger, 12
protestar, 1
provocar, 9
publicar, 9
quedar(se), 1
quejarse, 1
quemar(se), 1
querer, 39
quitar(se), 1
radicar, 9
ratificar, 9
reaccionar, 1
realizar, 49
rebajar, 1
rechazar, 49
recibir, 3
recitar, 1
reclamar, 1
recoger, 12
recomendar, 35
reconocer, 16
reconstruir, 28
recordar, 17
recorrer, 2
recuperar, 1
redactar, 1
reducir, 15
referir(se), 44
reflejar, 1
reflexionar, 1
reformar, 1
regalar, 1
regar, 25
regresar, 1
reír(se), 40
reiterar, 1
reivindicar, 9
relacionar(se), 1
relajar(se), 1
relatar, 1
rellenar, 1
remontar, 1
remover, 33

renunciar, 1
repartir, 3
repasar, 1
repetir, 46
replicar, 9
representar, 1
reprimir, 3
reproducir, 15
requerir, 44
residir, 3
resistir, 3
resolver, 33*
respirar, 1
responder, 2
resultar, 1
resumir, 3
retirar(se), 1
retomar, 1
retransmitir, 3
reunir, 41
revelar, 1
revisar, 1
revolver, 33*
rimar, 1
robar, 1
rodear, 1
rogar, 13
romper(se), 2*
saber, 42
saborear, 1
sacar, 9
salir, 43
saludar, 1
salvar, 1
satirizar, 49
satisfacer, 27***
secar, 9
secuenciar, 1
seducir, 15
seguir, 46
seleccionar, 1
sentar(se), 35
sentir(se), 44
separar, 1
ser, 45
servir, 46
significar, 9
simbolizar, 49
simular, 1
sincronizar, 49
situar(se), 4
sobrevivir, 3
soler, 33
solicitar, 1
solucionar, 1
someter, 2
sonar, 17
soportar, 1
sorprender(se), 2
sostener, 47
suavizar, 49

subir, 3
subrayar, 1
suceder, 2
sufrir, 3
sugerir, 44
sujetar, 1
sumar, 1
superar, 1
supervisar, 1
suponer, 38*
suprimir, 3
surgir, 20
suspender, 2
sustituir, 28
tardar, 1
tatuar(se), 4
tener, 47
terminar, 1
tirar, 1
tocar, 9
tomar, 1
trabajar, 1
traducir, 15
traer, 48
transformar(se), 1
transmitir, 3
trasladar(se), 1
tratar(se), 1
trazar, 49
triplicar, 9
triunfar, 1
tutear, 1
unificar, 9
unir(se), 3
usar, 1
utilizar, 49
vaciar, 23
valer, 50
valorar, 1
vender, 2
venerar, 1
venir, 52
ver, 53
veranear, 1
viajar, 1
vigilar, 1
visitar, 1
vivir, 3
volar, 17
volver, 33*

* Ver lista de participios irregulares.

** Delante de **o** y a la **g** se transforma en **j**.

*** Sigue la conjugación de *hacer*, pero manteniendo la letra **f** en todos los tiempos.

**** En las formas en las que aparece el diptongo **ue** se escribe una **h** inicial: **huelo, hueles**, etc.

PAÍSES DE LATINOAMÉRICA: INFORMACIÓN PRÁCTICA

 ### Argentina

Población: 36 223 947
Código telefónico: 54
Web turística: www.turismo.gov.ar

MEDIOS DE COMUNICACIÓN
Principales cadenas de televisión
América TV (Canal 2)
ATC
Canal 9 (Libertad)
Canal 13 *(propiedad del grupo Clarín)*
Telefé (Canal 11)

Principales periódicos
Ámbito Financiero *(Diario de tendencia neoliberalista dura)* www.ambitofinanciero.com
Clarín *(El principal diario argentino y el de mayor circulación en América Latina)* www.clarin.com
Cronista Comercial *(Dedicado al sector financiero)* www.cronista.com
El Popular *(Diario de tendencia populista)* www.diarioelpopular.com.ar
La Nación *(Diario de tendencia conservadora)* www.lanacion.com.ar/
Página 12 www.pagina12.com.ar/

Principales radios
Radio Continental www.continental.com.ar/
Radio Mitre www.radiomitre.com.ar/
Radio Nacional www.radionacional.gov.ar/
Radio Rivadavia www.rivadavia.com.ar/

MEDIOS DE TRANSPORTE
Avión:
Aerolíneas Argentinas www.aerolineas.com.ar/
LAFSA (Líneas Aéreas Federales)
Southern Winds www.sw.com.ar/es/home.jsp

> TE SUGERIMOS...
> **Un libro:** *Ficciones*, de Jorge Luis Borges
> **Una película:** *El sur*, de Fernando Solanas
> **Un disco:** *De Ushuaia a La Quiaca*, de León Gieco

 ### Bolivia

Población: 8 586 443
Código telefónico: 591
Web turística: www.bolivia.com/turismo

MEDIOS DE COMUNICACIÓN
Principales cadenas de televisión
ATB (Canal 9) www.atb.com.bo
Bolivisión www.bolivisiontv.com/index.cfm
PAT www.red-pat.com
Red Uno (Canal 2) www.reduno.com.bo
Televisión Nacional de Bolivia

Principales periódicos
El Diario www.eldiario.net/
La Prensa www.laprensa.com.bo
La Razón www.la-razon.com/

Principales radios
Radio Activa www.919radioactiva.com
Radio Cadena Coral www.coralbolivia.com
Radio Estrella www.radioestrella.com
Radio Panamericana www.panamericana-bolivia.com

MEDIOS DE TRANSPORTE
Avión:
Aerosur www.aerosur.com
LAB (Lloyd Aéreo Boliviano) www.labairlines.com
SAVE

> TE SUGERIMOS...
> **Un libro:** *Juan de la Rosa*, de Nataniel Aguirre
> **Una película:** *La nación clandestina*, de Jorge Sanjinés
> **Un disco:** *Hoja de coca*, de Rumillatja

 ### Chile

Población: 15 665 216
Código telefónico: 56
Web turística: www.sernatur.cl

MEDIOS DE COMUNICACIÓN
Principales cadenas de televisión
Canal 13 www.canal13.cl
Chilevisión www.chilevision.cl
Megavisión www.portal.mega.cl
TV Chile www.tvchile.cl
TVN (Televisión Nacional de Chile) www.tvn.cl

Principales periódicos
El Mercurio http://diario.elmercurio.com
La Segunda www.lasegunda.com
La Tercera www.tercera.cl
Las Últimas Noticias www.lun.com

Principales radios
Radio agricultura
Radio chilena www.radiochilena.cl
Radio cooperativa www.cooperativa.cl

MEDIOS DE TRANSPORTE
Autobús:
Alsa Chile www.alsa.cl
Sky airline www.skyairline.cl
Turbus www.turbus.cl

Avión: Lan Chile www.lanchile.com
Tren: Ferrocarriles del estado www.efe.cl

> TE SUGERIMOS...
> **Un libro:** *Veinte poemas de amor y una canción desesperada*, de Pablo Neruda
> **Una película:** *El chacal de Nahueltoro*, de Miguel Littín
> **Un disco:** *Alturas de Macchu Picchu*, de Los Jaivas

 ### Colombia

Población: 33 109 840
Código telefónico: 57
Web turística: www.presidencia.gov.co

MEDIOS DE COMUNICACIÓN
Principales cadenas de televisión
Canal U www.canalu.com.co/
Caracol Televisión www.canalcaracol.com
Colombiana de Televisión www.coltevision.com

Principales periódicos
El Colombiano www.elcolombiano.com/
El Espectador www.elespectador.com/
El Tiempo www.eltiempo.com/hoy/
Vanguardia Liberal www.vanguardia.com/

Principales radios
Caracol Colombia www.caracol.com.co
RCN Radio www.rcn.com.co
Todelar Cadena Nacional www.todelar.com.co

MEDIOS DE TRANSPORTE
Avión:
ACES
Aerorepública www.aerorepublica.com.co
Aires www.aires.com.co
Avianca www.avianca.com.co

> TE SUGERIMOS...
> **Un libro:** *Cien años de soledad*, de Gabriel García Márquez
> **Una película:** *La estrategia del caracol*, de Sergio Cabrera
> **Un disco:** *Un día normal*, de Juanes

 ### Costa Rica

Población: 3 925 000
Código telefónico: 506
Web turística: www.costarica.tourism.co.cr

MEDIOS DE COMUNICACIÓN
Principales cadenas de televisión
Repretel www.repretel.com
Teletica (Canal 7) www.teletica.com

Principales periódicos
Al día www.aldia.co.cr
El Heraldo www.elheraldo.net
La Nación www.nacion.co.cr
La República www.larepublica.co.cr

Principales radios
979 Conexión www.979conexion.com
Monumental www.monumental.co.cr
Radio Juvenil www.911juvenil.com

MEDIOS DE COMUNICACIÓN
Principales cadenas de televisión
Repretel www.repretel.com

MEDIOS DE TRANSPORTE
Autobús:
Ticabus www.ticabus.com

Avión:
Nature Air www.natureair.com
Sansa www.flysansa.com

TE SUGERIMOS...
Un libro: *En este mundo redondo y plano*,
de Carmen Naranjo
Una película: *Caribe*, de Esteban Ramírez
Un disco: *Década uno*, de Editus

Cuba
Población: 11 093 152
Código telefónico: 53
Web turística: www.cubatravel.cu

MEDIOS DE COMUNICACIÓN
Principales cadenas de televisión
Cubavisión www.cubavision.cubaweb.cu/
Tele Rebelde

Principales periódicos
Cuba Ahora www.cubahora.co.cu
Granma *(periódico oficial del Partido Comunista)*
www.granma.cu
La Nueva Cuba www.lanuevacuba.com

Principales radios
Radio Musical Nacional www.cmbfjazz.cu/
Radio Progreso www.radioprogreso.cu/
Radio Rebelde www.radiorebelde.co.cu
Radio Reloj www.radioreloj.cu/

MEDIOS DE TRANSPORTE
Avión: Cubana de Aviación www.cubana.cu
Tren: Ferrocuba

TE SUGERIMOS...
Un libro: *Los pasos perdidos*, de Alejo Carpentier
Una película: *Fresa y chocolate*,
de Tomás Gutiérrez Alea
Un disco: *Buena Vista Social Club*, VV.AA.

Ecuador
Población: 11 781 613
Código telefónico: 593
Web turística: www.vivecuador.com

MEDIOS DE COMUNICACIÓN
Principales cadenas de televisión
Ecuavisa www.ecuavisa.com
ETV Telerama www.etvtelerama.com
Gamavisión www.gamavision.com
Teleamazonas www.teleamazonas.com

Principales periódicos
El Comercio www.elcomercio.com
El Universo www.eluniverso.com
Hoy www.hoy.com.ec

Principales radios
Alfa Super Stereo www.alfa.com.ec/
JC Radio La Bruja www.jcradio.com.ec/
Radio Centro www.radiocentro.com.ec/
Radio CRE www.cre.com.ec/
Radio Sucre www.radiosucre.com.ec/

MEDIOS DE TRANSPORTE
Avión:
Aerogal www.aerogal.com.ec
Ecuatoriana de Aviación
TAME www.tame.com.ec

TE SUGERIMOS...
Un libro: *El éxodo de Yangana*,
de Ángel Felicísimo Rojas
Una película: *Ratas, ratones ratero*,
de Juan Sebastián Cordero
Un disco: *El legado*, de Julio Jaramillo

El Salvador
Población: 5 828 987
Código telefónico: 503
Web turística: www.elsalvadorturismo.gob.sv/

MEDIOS DE COMUNICACIÓN
Principales cadenas de televisión
Canal 12 www.canal12.com.sv/
Canal 21 www.canal21tv.com.sv/
TCS *(Telecorporación salvadoreña que incluye
los canales 2, 4 y 6)*

Principales periódicos
El Diario de Hoy www.eldiariodehoy.com/
El Faro www.elfaro.net/
El Mundo www.elmundo.com.sv/
La Prensa Gráfica
www.laprensa.com.sv/portada/default.asp

Principales radios
La femenina
Laser
Qué buena www.quebuena.com

MEDIOS DE TRANSPORTE
Avión: Taca
Tren: FENADESAL, Ferrocarriles nacionales
de El Salvador www.cepa.gob.sv/ferro.htm

TE SUGERIMOS...
Un libro: *Un día en la vida*, de Manlio Argueta
Una película: *Los peces fuera del agua*,
de José David Calderón
Un disco: *El último romántico*, de Álvaro Torres

Guatemala
Población: 11 237 196
Código telefónico: 502
Web turística: www.guatemala.gob.gt/

MEDIOS DE COMUNICACIÓN
Principales cadenas de televisión
Canal 3 (El Super Canal) www.canal3.com.gt/
Canal 7 (Televisiete) www.canal7.com.gt/
Canal 11 (Teleonce)

Principales periódicos
El Periódico www.elperiodico.com.gt
La Hora www.lahora.com.gt
Prensa libre www.prensalibre.com/
Siglo XXI www.sigloxxi.com/

Principales radios
Emisoras unidas www.emisorasunidas.com
Radio activa *(variedad)*
www.guate.net/alius/activa.html
Red deportiva *(deportes y noticias)*
www.lared.com.gt
Sonora *(noticias y política)* www.sonora.com.gt

MEDIOS DE TRANSPORTE
Avión
Aviateca www.aviateca.aereo
Tical Jets www.ticaljets.com

TE SUGERIMOS...
Un libro: *El señor Presidente*, de M. Á. Asturias
Una película: *El silencio de Neto*, de L. Argueta
Un disco: *Historias*, de Ricardo Arjona

Honduras
Población: 6 669 789
Código telefónico: 504
Web turística: www.letsgohonduras.com

MEDIOS DE COMUNICACIÓN
Principales cadenas de televisión
Televicentro www.televicentro.hn/
Vica Televisión www.vicatv.hn/

Principales periódicos
La Prensa www.laprensahn.com
La Tribuna www.latribunahon.com/
Tiempo www.tiempo.hn/

Principales radios
HRN www.radiohrn.hn/
Radio América www.radioamerica.hn/

MEDIOS DE TRANSPORTE
Avión:
Aerolíneas Sosa www.aerolineassosa.com
Isleña (grupo TACA) www.flyislena.com/
Rollins Air

TE SUGERIMOS...
Un libro: *Una función con móbiles
y tentetiesos*, de Marcos Carías Zapata
Una película: *Anita, la cazadora de insectos*,
de Hispano Durón
Un disco: *Sopa de caracol*, de Banda Blanca

 México

Población: 104 907 991
Código telefónico: 52
Web turística: www.mexicoturismo.org

MEDIOS DE COMUNICACIÓN
Principales cadenas de televisión
Televisa *(El grupo Televisa es la compañía de medios de comunicación más grande en el mundo de habla hispana)*
www.esmas.com/televisa
TV azteca www.tvazteca.com.mx

Principales periódicos
El Sol de México
www.elsoldemexico.com.mx/

Excelsior www.excelsior.com.mx/

La Jornada *(Cuenta con los periódicos La Jornada de Oriente, La Jornada Morelos y La Jornada Michoacán)* www.jornada.unam.mx

Milenio *(Tiene a su cargo los periódicos: Milenio Diario, Milenio Monterrey, Público Milenio, Diario de Tampico, La Opinión Milenio, Milenio Veracruz, Milenio Tabasco, Milenio Hidalgo)* www.milenio.com/

Reforma www.reforma.com/

Principales radios
Grupo Acir *(La corporación radiofónica más importante y de mayor cobertura del país.)*
www.grupoacir.com.mx/rednacional.html

Grupo Radio Centro *(Tiene a su cargo estaciones como Red FM, Alfa Radio, Universal Stereo, Stereo Joya, 97 7, La Z, La 69, Formato 21, Radio Centro, Red AM y el Fonógrafo)* www.radiocentro.com/

Instituto Mexicano de la Radio (IMER) *(Agrupa a distintas frecuencias como XEQK, La "B" Grande de México, XEMP, XEHIMR, Orbita, Opus 94.5, Edusat y Radio México Internacional.)* www.imer.com.mx/

Núcleo Radio Mil *(Constituido por las emisoras Radio Mil, Sinfonola, Morena, Oye 89.7, Sabrosita, Stereo Cien y Enfoque.)*
www.nrm.com.mx/

MEDIOS DE TRANSPORTE
Autobús:
ADO www.ado.com.mx/
Flecha amarilla www.flecha-amarilla.com/
Grupo Senda www.gruposenda.com/
Ómnibus de México
www.omnibusdemexico.com.mx/

Avión:
Aerocaribe www.aerocaribe.com.mx
Aerolíneas Azteca www.aazteca.com.mx/
Aeroméxico www.aeromexico.com
Aviacsa www.aviacsa.com/
Mexicana www.mexicana.com/

Barco:
Grupo Sematur de California
www.ferrysematur.com.mx/

Tren:
Ferromex www.ferromex.com.mx
Siteur http://siteur.jalisco.gob.mx/org.htm

> TE SUGERIMOS...
> **Un libro:** *Como agua para chocolate*, de Laura Esquivel
> **Una película:** *La ley de Herodes*, de Luis Estrada
> **Un disco:** *¿Dónde jugarán los niños?*, de Maná

Nicaragua

Población: 5 128 517
Código telefónico: 505
Web turística: www.intur.gob.ni

MEDIOS DE COMUNICACIÓN
Principales cadenas de televisión
Canal 2 (Televicentro de Nicaragua)
www.canal2.com.ni/
Canal 8 (Telenica) www.telenica.com.ni/

Principales periódicos
El Nuevo Diario www.elnuevodiario.com.ni/
La prensa www.laprensa.com.ni/

Principales radios
Nueva Radio Ya www.nuevaya.com.ni/
Radio 1 www.radio1.com.ni/
Radio Nicaragua www.radionicaragua.com.ni/

MEDIOS DE TRANSPORTE
Autobús:
Ticabus www.ticabus.com/
Transnica www.transnica.com/

Avión:
Atlantic Airlines www.atlanticairlines.com.ni
La Costeña (grupo TACA)
www.tacaregional.com/costena/

> TE SUGERIMOS...
> **Un libro:** *El canto errante*, de Rubén Darío
> **Una película:** *Verdades ocultas*, de Rossana Lacayo
> **Un disco:** *Un trago de horizonte*, de Dúo Guardabarranca

Panamá

Población: 2 960 784
Código telefónico: 507
Web turística: www.ipat.gob.pa

MEDIOS DE COMUNICACIÓN
Principales cadenas de televisión
FETV (Canal 5) www.fetv.org/
RPC Televisión www.rpctv.com
Telemetro www.telemetro.com
TVN Televisora Nacional (Canal 2)
www.tvn-2.com

Principales periódicos
El Panamá América
http://elpanamaamerica.terra.com.pa
El Siglo www.elsiglo.com/
La Prensa www.prensa.com

Principales radios
Radio Mia www.radiomiapanama.com/
RPC Radio www.rpcradio.com/

MEDIOS DE TRANSPORTE
Avión:
Aeroperlas (grupo TACA)
www.aeroperlas.com
COPA (Compañía Panameña de Aviación)
www.copaair.com

> TE SUGERIMOS...
> **Un libro:** *Caracol y otros cuentos*, de Enrique Jaramillo
> **Una película:** *La noche*, de Joaquín Carrasquilla
> **Un disco:** *Siembra*, de Rubén Blades

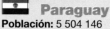 Paraguay

Población: 5 504 146
Código telefónico: 595
Web turística: www.senatur.gob.py/

MEDIOS DE COMUNICACIÓN
Principales cadenas de televisión
RPC, Red Privada de Comunicación (Canal 13)
www.rpc.com.py/
SNT, Sistema Nacional de Televisión (Canal 9)
www.sntparaguay.com/

Principales periódicos
ABC Color www.abc.com.py/
Diario Noticias www.diarionoticias.com.py
La Nación www.lanacion.com.py/
Última Hora www.ultimahora.com.py/

Principales radios
Radio Canal 100 www.canal100.com.py/php/
Santa Helena FM www.santahelena.com.py/

MEDIOS DE TRANSPORTE
Autobús:
C.O.I.T. Internacional
Expreso Brújula

Avión:
Aeronorte
Aerosur
ARPA (Aerolíneas Paraguayas)
LADESA (Líneas Aéreas del Este)
LATN (Líneas Aéreas de Transporte Nacional)
TAM Mercosur www.tam.com.py

> TE SUGERIMOS...
> **Un libro:** *Yo el Supremo*, de Augusto Roa Bastos
> **Una película:** *El portón de los sueños*, de Hugo Gamarra
> **Un disco:** *Así canta mi patria*, de Los Paraguayos

Perú

Población: 24 523 408
Código telefónico: 51
Web turística: www.peruturismo.com/

MEDIOS DE COMUNICACIÓN
Principales canales de televisión
Frecuencia Latina www.frecuencialatina.com.pe/
Pantel (Panamericana Televisión)
www.pantel.com.pe/
Televisión Nacional de Perú www.tnp.com.pe

Principales periódicos
El Comercio www.elcomercioperu.com.pe/
El Expreso www.expreso.com.pe/
El Peruano www.elperuano.com.pe/
La República www.larepublica.com.pe/

Principales radios
CPN Radio (Cadena Peruana de Noticias)
www.cpnradio.com.pe/
RPP Radio (Radio Programas del Perú)
www.rpp.com.pe/

MEDIOS DE TRANSPORTE
Autobús:
Expreso Cruz del Sur www.cruzdelsur.com.pe/

Avión:
Aero Condor www.aerocondor.com.pe/
Lan Peru www.lan.com.pe/
LC Busre www.lcbusre.com.pe/
Magenta Air www.magentaair.com/
Star Perú www.starup.com.pe
Tans Perú www.tansperu.com.pe/

TE SUGERIMOS...
Un libro: *La ciudad y los perros*, de Mario
Vargas Llosa
Una película: *Días de Santiago*, de Josué
Méndez
Un disco: *Lamento negro*, de Susana Baca

 Puerto Rico

Población: 3 522 037
Código telefónico: 787
Web turística: www.gotopuertorico.com/

MEDIOS DE COMUNICACIÓN
Principales canales de televisión
Telemundo
Televicentro (Canal 4) www.televicentropr.com/

Principales periódicos
El Cronista www.cronistapr.com
El Nuevo Día www.endi.com/
La Esquina www.laesquina.com/
La Estrella de Puerto Rico www.estrelladepr.com/

Principales radios
NotiUno www.notiuno.com
Radio Puerto Rico www.radiopr740.com/
Salsoul www.salsoul.com

MEDIOS DE TRANSPORTE
Autobús: Autoridad Municipal de Autobuses
www.dtop.gov.pr/AMA/

Avión:
Air Culebra www.airculebra.com
Air Puerto Rico
Dorado Wings
Fina Air www.fina-air.com/
Tol Air www.tolair.com/

Tren: Alternativa de Transporte Integrado
(tren urbano) www.ati.gobierno.pr

TE SUGERIMOS...
Un libro: *La guaracha del Macho Camacho*,
de Luis Rafael Sánchez
Una película: *Linda Sara*, de Jacobo Morales
Un disco: *Escenas de amor*, de José Feliciano

 República Dominicana

Población: 8 088 881
Código telefónico: 809
Web turística: www.republica-dominicana.org/

MEDIOS DE COMUNICACIÓN
Principales canales de televisión
CDN (Cadena de Noticias) www.cdn.com.do/
Colorvisión (Canal 9) www.colorvision.com.do/

Principales periódicos
El Nacional www.elnacional.com.do
El Nuevo Diario www.elnuevodiario.com.do/
Hoy www.hoy.com.do

Principales radios
La 91 FM www.la91fm.com.do/

MEDIOS DE TRANSPORTE
Autobús: Caribe Tours www.caribetours.com.do/

Avión:
Air Santo Domingo
www.airsantodomingo.com.do/
Sapair www.sapair.com/

TE SUGERIMOS...
Un libro: *Enriquillo*, de Manuel de Jesús Galván
Una película: *Nueba Yol*, de Ángel Muñiz
Un disco: *Bachata rosa*, de Juan Luis
Guerra y 440

Uruguay

Población: 3 238 952
Código telefónico: 598
Web turística: www.turismo.gub.uy

MEDIOS DE COMUNICACIÓN
Principales canales de televisión
Montecable www.montecable.com/
Montecarlo (Canal 4) www.canal4.com.uy/
Teledoce www.teledoce.com/

Principales periódicos
El Observador www.observador.com.uy/
El País www.elpais.com.uy
La República www.diariolarepublica.com/

Principales radios
Radio del Sol www.fmdelsol.com
Radio Diamante www.diamante.com.uy/

MEDIOS DE TRANSPORTE
Autobús: COPSA www.copsa.com.uy/
Avión: Pluna (Líneas Aéreas Uruguayas)
www.pluna.com.uy/

TE SUGERIMOS...
Un libro: *La tregua*, de Mario Benedetti
Una película: *Whisky*, de Juan Pablo Rebella
y Pablo Stoll
Un disco: *Sea*, de Jorge Drexler

Venezuela

Población: 21 983 188
Código telefónico: 58
Web turística: www.venezuelatuya.com/

MEDIOS DE COMUNICACIÓN
Principales canales de televisión
Globovisión www.globovision.com/
Televen www.televen.com
Venevisión www.venevision.net
Venezolana de Televisión www.vtv.gov.ve/

Principales periódicos
El Meridiano www.meridiano.com.ve
El Nacional www.el-nacional.com/
El Universal www.eud.com/

Principales radios
Circuito Nacional Belfort www.cnb.com.ve/
Radio Nacional de Venezuela
http://radio.gobiernoenlinea.ve/
Unión Radio www.unionradio.com.ve

MEDIOS DE TRANSPORTE
Avión:
Aeropostal www.aeropostal.com
Aserca www.asercaairlines.com
Avensa http://www.avensa.com.ve
Avior www.avior.com.ve
Laser Airlines www.laser.com.ve/
Santa Barbara Airlines
www.santabarbaraairlines.com/

Tren:
IAFE (Instituto Autónomo de Ferrocarriles del
Estado) www.iafe.gov.ve

TE SUGERIMOS...
Un libro: *Doña Bárbara*, Rómulo Gallegos
Una película: *Punto y raya*, de Elia K.
Schneider
Un disco: *Sonero del Mundo*, de
Oscar D' León